AMOR, SEXO
Y RELACIONES
DURADERAS

La receta de Dios para mejorar su vida amorosa

CHIP INGRAM

Traducido por
Nelda Bedford de Gaydou

EDITORIAL MUNDO HISPANO

Editorial Mundo Hispano

7000 Alabama Street, El Paso, Texas 79904, EE. UU. de A.

www.editorialmh.org

Amor, sexo y relaciones duraderas. © Copyright 2005, Editorial Mundo Hispano. 7000 Alabama Street, El Paso, Texas 79904, Estados Unidos de América. Traducido y publicado con permiso. Todos los derechos reservados. Prohibida su reproducción o transmisión total o parcial, por cualquier medio, sin el permiso escrito de los publicadores.

Publicado originalmente en inglés por Baker Books una división de Baker Book House Company, Grand Rapids, MI, bajo el título *Love, Sex, and Lasting Relationships*, © copyright 2003, por Chip Ingram.

Las citas bíblicas han sido tomadas de la Santa Biblia: Versión Reina-Valera Actualizada. © Copyright 1999, Editorial Mundo Hispano. Usada con permiso.

Editores: Juan Carlos Cevallos
Vilma Fajardo
María Luisa Cevallos

Illustraciones y paginación:
Néaouguen Nodjimbadem

Primera edición: 2005
Segunda edición: 2007
Clasificación Decimal Dewey: 248.84
Tema: Vida cristiana

ISBN:978-0-311-46282-7
EMH Núm. 46282

2.5 M 1 07

Impreso en Colombia
Printed in Colombia

Dedico este libro a Dave y Polly Marshall, quienes me enseñaron con su vida y sus palabras cómo funcionan las relaciones según la voluntad de Dios. Gracias, Dave, por modelar pureza e integridad personales. Gracias por mostrarme que seguías cortejando a tu esposa, aun después de tener niños. Y gracias por escuchar mis luchas y compartir algunas de las tuyas. Mi matrimonio y mi familia son parte de tu legado espiritual para la gloria de Dios.

Contenido

Reconocimientos   7
Introducción   9

1. La fórmula de Hollywood para las relaciones amorosas duraderas   17
2. Dos modelos de relaciones duraderas   39
3. La receta de Dios para las relaciones duraderas   55
4. Antes de "enamorarse"   75
5. Cómo saber si estás enamorado: *doce pruebas*   99
6. Amor y sexo: *un mundo de diferencia*   125
7. ¿Por qué sólo uno?   151
8. Cómo decirle sí al amor y no a las relaciones sexuales de segunda categoría   171
9. El romance de la pureza   197
10. Dios convoca a la "segunda revolución sexual"   217

Conclusión: bienvenido a la revolución   249
Notas   255

Reconocimientos

Este libro fue escrito durante una etapa traumática de nuestra vida. Estoy profundamente agradecido por la flexibilidad de Neil Wilson al ayudarme a escribir y editar el proyecto. Por la capacidad para organizar y el aliento que recibí de Annette Kypreos. Por la paciencia y la comprensión mostrada por Vicki Crumpton. Doy gracias a mi esposa quien ha modelado y ejemplificado estas verdades. Los comentarios y el aguante de mis hijos, quienes tuvieron que escucharme y analizar el material en múltiples oportunidades, fueron muy oportunos. Por último, quisiera expresar un agradecimiento especial a la gente de *Baker Book House*, que han demostrado su compromiso con la excelencia y con llevar este mensaje a los lugares más recónditos de nuestra cultura.

Introducción

Pocos temas de la vida suscitan tanta pasión y tantos anhelos como nuestro deseo de amor, nuestro interés en el sexo y nuestra esperanza de tener relaciones duraderas. No importa cuáles sean nuestros antecedentes, raza, valores, inteligencia o experiencia, todos anhelamos ser amados. Cada ser humano en el planeta ansía ser una "persona valorada" por otra. Asimismo, el misterio y el poder de la sexualidad humana nos atraen como un imán invisible hacia el mundo de las relaciones.

Expresado en términos sencillos, nosotros los humanos somos seres relacionales. Fuimos creados por Dios para amar y ser amados. Ansiamos la intimidad, la aceptación, la seguridad y la importancia que fluyen cuando nos unimos en mente, corazón y cuerpo con un miembro del sexo opuesto.

Si te parece que estoy exagerando, detente y piensa en tu primera reacción al título de este libro. ¿Qué te llamó la atención? ¿Por qué te sentiste atraído hacia la imagen de la pareja en la cubierta, frente a la brisa del mar? ¿Viste romance en su mirada? ¿Captaste algo del sentimiento de intimidad y la riqueza compartida en una hermosa relación? ¿Tuviste deseos de cambiar de lugar con uno de ellos?

Si es así, te diré por qué. Esa imagen representa nuestro anhelo. Tú deseas lo que tiene esa pareja, y yo también. No importa si tienes diecisiete o setenta y siete años, las palabras *amor, sexo y relaciones duraderas* evocan respuestas inmediatas y poderosas dentro de cada uno de nosotros. Las imágenes que atrapan esa esperanza también atrapan nuestra atención.

Admitámoslo. Después de atender las necesidades básicas de la vida, como alimento, ropa y vivienda, la mayor parte de nosotros pasamos gran parte del tiempo ponderando, tratando o resolviendo problemas relacionados con el área relacional. Detente un momento y considera las letras de ciertas canciones que escuchamos todos los días, por ejemplo:

- "No me arrepiento de este amor"
- "Mujer amante"
- "Dime que no"
- "Fuego de noche, nieve de día"
- "Lloran las rosas"

Se pueden agregar a esta lista casi cualquiera de los títulos de la lista de las 40 mejores canciones de cualquier lugar.

Día tras día gente de todo el mundo, de todas las nacionalidades y en todos los idiomas, canta sobre sus deseos o sus desilusiones con el amor.

Camina por la librería local, si no estás allí ahora, y fíjate en las novelas románticas, la sección de autoayuda o el estante de recursos para las relaciones humanas. Observa cuántos libros enfocan de una manera u otra el sexo, el amor romántico o la manera de tener una buena relación. La próxima vez que vayas de compras, estudia las revistas glamorosas que se exhiben en los estantes de las tiendas. (*Nota del Editor:* Mencionaremos únicamente a dos que quizás son representativas de lo que podemos encontrar en los diferentes países alrededor del mundo). ¿Tuvo *Cosmopolitan* alguna vez una portada que no incluyera la palabra "sexo"? ¿Quiénes están en la portada de la revista Vanidades? ¿Acaso no está llena de fotografías de los que están juntos esta semana, de rumores acerca de los que han sido infieles o de las parejas que se han peleado? ¿Por qué se venden tanto estas revistas? Querámoslo o no, vivimos en un mundo donde el *amor*, el *sexo* y las *relaciones* ocupan el primer lugar en el corazón y la mente de casi todos.

> Querámoslo o no, vivimos en un mundo donde el *amor*, el *sexo* y las *relaciones* ocupan el primer lugar en el corazón y la mente de casi todos.

Los publicistas se dieron cuenta hace mucho tiempo de que nuestra preocupación por las conexiones emocionales y el sexo proporcionan un gran incentivo para comprar la mercadería que anuncian. Ya sea que se use el sexo para vender cerveza y autos en los descansos de los partidos de fútbol televisados, o que se muestren escenas de parejas amorosas mientras tratan de convencernos de que cambiemos de empresa telefónica para hacer más económicas las llamadas de larga distancia. El mensaje transmitido es constante: la clave de la felicidad y la realización en la vida tiene que ver con el *amor*, el *sexo* y las *relaciones duraderas*.

Desafortunadamente, a pesar de todo el despliegue publicitario en revistas, películas y libros, en general la gente no anda bien en esta área de su vida. Las palabras divorcio, separación, heridas, culpabilidad, ex esposo y abuso, entre otras, son lamentablemente muy comunes en nuestro vocabulario. Aun en los matrimonios que sobreviven, el ambiente frecuentemente está cargado de tristeza y desilusión. Anhelamos amar y anhelamos que nos amen, pero no sabemos hacerlo muy bien. A pesar de toda la discusión y de la apertura actual hacia el tema del sexo, la sexualidad sigue siendo uno de los puntos persistentes de conflicto en la mayor parte de las relaciones. Parecería que cuanto mayor es el hambre de amor y relaciones duraderas, tanto menor es su duración. Parafraseando una canción, el amor parece acabarse antes de haber empezado.

¿Cuál es el problema? ¿Estamos todos destinados a estar frustrados y convertirnos en productos y autores de relaciones disfuncionales? O, ¿existe un mejor camino? ¿Existe, de hecho, un secreto, un plan, un modelo distinto para el amor genuino, el sexo gratificante y las relaciones que perduran?

Por impertinente que parezca, este libro promete exactamente eso, no porque yo sea muy inteligente o haya acaparado el mercado en estos temas, sino porque el que te creó a ti para ser amado, y el que creó el sexo para que lo disfrutes tiene un plan entendible acerca de la manera que deben y pueden funcionar las relaciones. El que te diseñó a ti para amar y ser amado también ha provisto sabiduría e instrucciones específicas para que esto sea posible en tu vida diaria. Este libro trata de esa sabiduría, de cómo debe y puede funcionar para ti.

A lo mejor estés pensando ¿Para qué leer este libro? Soy soltero, divorciado, viudo, no tengo una relación en este momento. ¿De qué me podría servir este libro? En realidad, este libro es sumamente útil no sólo para los casados, sino para solteros, divorciados y viudos. Sea cual fuere tu condición actual, si no entiendes las relaciones afectuosas duraderas desde la perspectiva de Dios, estás destinado a una vida de grandes desilusiones y frustraciones.

Si estás en una relación significativa, pero todavía no te has casado, este libro te ayudará a evaluar la sanidad, la fuerza y las

áreas necesitadas de tu relación. Aprenderás a construir cualidades en la relación que no sólo le otorgarán dinamismo sino
que permitirán que la relación sea duradera. ¿No te gustaría
llegar al momento de decir: "Acepto a... hasta que la muerte
nos separe", con un plan para lograrlo?

Si eres soltero y no tienes una relación significativa en este
momento, este libro te ahorrará muchos dolores en el futuro;
y te ayudará a poner algunas heridas del pasado en la perspectiva correcta. Te ayudará a evitar problemas y actos que suelen
hundir las relaciones y te mostrará la manera de construir y
manejar tu relación futura con confianza y propósito. Aprenderás a manejar las relaciones de la manera prevista por Dios.

De hecho, es posible que este libro tenga más valor para
las personas que todavía no tienen una relación. Durante una
conferencia reciente enseñé el material de este libro a varios
cientos de estudiantes universitarios. Un estudiante resumió lo
que muchos me dijeron: "Cuando la gente habla de relaciones,
uno suele sentirse 'marginado' si no tiene novio(a). Pero en
esta ocasión fue distinto. No tengo una relación ahora, pero
estos principios han sido de gran ayuda para mí como soltero,
al pensar en el tipo de relación que deseo y en la manera de
conseguirla".

Si estás casado, este libro te ayudará a tener expectativas
realistas. Te ayudará a dirigir tus energías y a concentrarte en
los aspectos de la relación que producirán mayor gozo e intimidad. También te ayudará a tratar actitudes y prácticas de tu
matrimonio que tal vez estén creando barreras entre ti y tu
cónyuge. Una pareja me dijo lo siguiente en privado: "Es asombroso lo mucho que habla nuestra cultura acerca del sexo y lo
poco que mi esposa y yo hemos hablado de su impacto en
nuestra relación". Se sorprendieron cuando compararon sus
expectativas sobre el sexo, basadas en la cultura, con la pers-

pectiva y la prescripción de Dios para mejorar la intimidad sexual. ¡Las diferencias eran sorprendentes!

Si eres divorciado, hallarás esperanza en estas páginas. Este libro te ayudará a descubrir lo que pudo haber fallado en tu matrimonio y cómo prepararte ahora para construir relaciones sanas y positivas en el futuro. Desafortunadamente, las personas que están desesperadas por tener relaciones tienden a seguir haciendo las mismas cosas que las destruyen. Nunca supieron que hay un camino mejor. Un hombre australiano que se había divorciado varias veces se enteró de la existencia de este material por medio de Internet y me escribió un mensaje de agradecimiento por correo electrónico: "Chip, por fin entiendo. Cuando lo escuché hablar sobre el *amor*, el *sexo* y las *relaciones duraderas* se me abrieron los ojos y sentí una nueva esperanza. Me identifiqué con las personas de sus relatos. Ahora veo cómo llevé mis relaciones anteriores hacia el fracaso absoluto. Gracias por ayudarme a aclarar las cosas. ¡Estaba por volver a cometer el mismo error!".

> Este libro está hecho para ti, seas quien fueres, en el lugar donde te encuentres.

Las cartas, las llamadas y los mensajes de correo electrónico que recibí de personas en cada una de las categorías que acabo de describir me convencieron de que necesitaba explorar todas las formas posibles de hacer llegar estas verdades, probadas por el tiempo, a la vida de las personas. El libro que está en tus manos es parte de ese esfuerzo. Va con mi ruego de que se lleve a cabo una transformación y una revolución en tu forma de pensar acerca de las relaciones mientras lo lees. Pido a Dios que te dé sabiduría y discernimiento para abordar el tema de las relaciones como nunca antes, para que puedas experimentar el tremendo misterio de la relación duradera que anhelas.

Si ya disfrutas de un gran matrimonio, ¡felicitaciones! Lee este libro como una inversión personal en tu relación humana más importante. ¿Por qué? Hay tres razones. Primero, los grandes matrimonios se mantienen grandes cuando se presta atención a los lugares debidos. Segundo, los grandes matrimonios pueden mejorar aún más (esa es una de sus cualidades). Tercero, los grandes matrimonios merecen ser copiados. La próxima vez después de leer este libro que alguien te pregunte cuál es tu secreto y cómo tienes una relación tan maravillosa, tendrás una lectura para recomendar.

Este libro está hecho para ti, seas quien fueres, en el lugar donde te encuentres. Miles de personas han oído lo que estás por leer, y los que han aplicado estas verdades eternas han descubierto que funcionan. ¡Los testimonios de tantas notas enviadas por correo electrónico, cartas y faxes de nuestra audiencia radial confirman que verdaderamente hay esperanza para las relaciones! La gente tiene hambre de una alternativa. Si la manera que la mayor parte de la gente está construyendo su matrimonio está fracasando, ¿no tiene sentido buscar otro camino? Francamente, prefiero no leer ni oír más acerca de matrimonios y relaciones destrozadas. Prefiero ser parte de la solución. He visto suficiente dolor en la vida de la gente, lo que me ha afectado por mucho tiempo. He llorado con demasiada gente quebrantada. Mucho de ello podría evitarse. ¡Hay esperanza! Hay una mejor manera de encontrar el amor, de seguir enamorado y de crecer en intimidad durante toda la vida.

Comparto el material en estos capítulos con confianza ya que, como te darás cuenta, estoy tratando de poner en práctica estas verdades en mi propio matrimonio. Mi esposa y yo sabemos cómo no deben ser las relaciones y por la gracia de Dios hemos aprendido a transformar una relación de un triste divagar en un gozo íntimo. Prometo que si confías en esta forma de pensar y de abordar las relaciones, y pones en práctica la receta de Dios, tus relaciones pueden ser profundamente satisfactorias y duraderas. Estos principios funcionan no porque vengan de mí, sino porque vienen de aquel que te diseñó a ti. El *amor*, el *sexo* y las *relaciones duraderas* fueron ideas de Dios. Él te creó para que tuvieras relaciones. Creó ese anhelo de conectarte con otros que es parte integral de tu vida. Y porque eres el objeto de su amor y afecto, él desea hacer realidad esos anhelos mucho más allá de lo que puedas imaginar.

1

La fórmula de Hollywood para las relaciones amorosas duraderas

S
i no leíste la introducción, detente. Ni se te ocurra seguir adelante. Da vuelta las páginas y léela ahora mismo. La introducción a este libro marca el tono y el enfoque de todo lo que vamos a considerar. Este capítulo no te ayudará en la forma prevista si no lees la introducción para saber hacia dónde nos dirigimos y por qué lo hacemos.

Hemos establecido que el *amor*, el *sexo* y las *relaciones duraderas* se encuentran entre los deseos más apasionados del corazón humano. También observamos que la mayor parte de la gente no disfruta del amor y de la intimidad sexual en la medida en que desea hacerlo. A pesar de todas las canciones acerca del amor, la gente no parece conseguir mucho de él. A pesar de todas las películas que glorifican el sexo, éste sigue siendo uno de los puntos más comunes de frustración y la chispa que enciende peleas en las relaciones. Las escenas intensas y apasionadas en la pantalla del cine o el televisor, o el de novelas románticas rara vez se parecen a las relaciones reales que vive la gente. Pero hemos dicho que hay esperanza. Dios ha provisto instrucciones específicas acerca de cómo cultivar la vida amorosa, hallar la pareja correcta y desarrollar una relación sexual que produzca satisfacción mutua y una poderosa unión. Dios conoce los anhelos de tu corazón y desea enseñarte cómo construir una relación que sea cada vez mejor, cada vez más profunda a medida que pasan las décadas.

¿Cómo está tu vida amorosa?

Permíteme hacerte algunas preguntas.

- ¿Cómo está tu vida amorosa?
- ¿En qué te sientes frustrado?
- ¿Qué estás buscando que no puedes encontrar?
- ¿Qué anda bien y qué te tiene desesperadamente confundido o confundida?

Toma un momento para pensar en estas preguntas. Baja las defensas que has usado para bloquear el dolor de tu pasado o las frustraciones del presente. Realiza un breve inventario de tu mundo en lo referente a las relaciones. La razón por la cual hay que hacer una pausa ahora, antes de seguir leyendo, no tiene nada que ver con una introspección morbosa. Sencillamente, quiero que te detengas y examines tus relaciones. Aprovecha esta oportunidad para ver, lo más claramente posible, la condición actual de tu vida amorosa. Sé que lo que te estoy pidiendo no es nada fácil. A veces, nuestra lucha más difícil en un área tan sensible como ésta ocurre cuando verdaderamente tratamos de entender dónde nos encontramos en relación a otros. A lo mejor puedo ayudarte en tu reflexión personal.

Si yo me encontrara contigo en la calle, ¿qué mirada vería en tu rostro y en tus ojos? ¿Vería una persona temerosa, desesperada, enojada o aun desilusionada? Si te observara durante varias horas, ¿vería una notable falta de gozo, contentamiento o paz en tu vida? ¿Me daría cuenta que sientes que estás desplazándote por la vida sin llegar a donde quieres ir? ¿Ofrecerían tu rutina diaria, conversaciones privadas y anotaciones en tu diario (si lo llevas) pistas abundantes de que anhelas el amor pero todavía no lo has encontrado?

¿Eres una de esas personas jóvenes (o no tan jóvenes) que ha sido herida profundamente? ¿Estás rengueando en el camino de la vida por el dolor del pasado? Si es así, no sientas vergüenza; no eres el único. De hecho, después de aconsejar a cientos de personas a través de los años, ya no me sorprende cuando la mayor parte de ellas admite que su búsqueda de amor las ha dejado con heridas y cicatrices. ¿Eres una de estas personas? Desafortunadamente, la mayor parte de nosotros se ha criado en familias donde el amor fue mal modelado y rara vez fue tema de discusión. Más de la mitad de nosotros se ha criado en hogares donde vimos a nuestros padres hervir de rabia, pelearse,

> Ahora, por más que anhelamos el amor, sentimos un profundo temor que nos trae aún más dolor.

separarse y divorciarse, dejándonos emocionalmente huérfanos. Ahora, por más que anhelamos el amor, sentimos un profundo temor que nos trae aún más dolor. Muchos me confiesan en privado que están divididos entre su anhelo de amor y su temor del dolor y el rechazo que éste podría representar. Si habláramos tranquilamente mientras nos tomamos un café, ¿compartirías conmigo estos mismos temores y heridas?

Para otros, no es cuestión de hallar a quién amar; es más bien cuestión de una intensa desilusión por la calidad de la relación actual. A lo mejor te encuentras en uno de esos matrimonios donde los dos van juntos en el camino de la vida, pero rara vez se toman de la mano o se hablan. A lo mejor eres una esposa que mira con fastidio a su esposo mientras él parece clavar la mirada en todas las mujeres en el camino menos en ti. A lo mejor has pasado años esperando que tu esposo se convierta en una persona distinta. Tal vez seas un esposo que ha estado buscando en secreto algo más nuevo, mejor y apasionante en tu relación. En este tipo de patrón relacional, ambos compañeros se sienten insatisfechos el uno con el otro. Ninguno de los dos parece cumplir las expectativas del otro. ¿Te suena familiar todo esto? ¿Describe tu relación actual? Puedes ser honesto. No es mi deseo abrir una herida ni echarte abajo el ánimo, sino sencillamente ayudarte a entender tu punto de partida para que juntos podamos lograr verdaderos avances mientras lees las páginas que siguen.

A lo mejor lo que acabo de describir no tenga nada que ver contigo. Tal vez estés razonablemente satisfecho con la relación que tienes y todo parezca andar bien, al menos en la superficie. La gente da por sentado que estás casado, pero te ves obligado a decir que no es así; admites que están profundamente enamorados pero que sólo están viviendo juntos. Aunque la relación parece andar bien ahora, una mirada más de cerca revelaría algunos temores secretos que no has compartido con nadie. Vives con un profundo sentimiento de incertidumbre. Esto se expresa en esas miradas cautelosas que calculan cuánto tiempo queda en el reloj antes de que se acaben los buenos sentimientos. Es la pregunta constante que pasa por tu mente:

Si verdaderamente me ama, ¿por qué evita un compromiso exclusivo a largo plazo? Es vivir con la incertidumbre de que cualquier día, en cualquier momento, la otra persona puede irse pues ninguno de los dos se ha comprometido permanentemente con el otro. La falta de seguridad y permanencia crea un vacío bajo tus pies. Gastas mucho de tu energía en complacer y apaciguar a tu pareja debido al profundo temor de que un día hallará a otra persona o se cansará de ti. Continuamente, esos temores atormentan emocionalmente tu alma. Hay ciertas cosas que sencillamente no puedes compartir. Ciertos muros protectores internos siempre permanecen erguidos porque, a pesar de algunos aspectos muy positivos de tu relación, ambos saben en lo profundo del corazón que esto se puede acabar en cualquier momento. En la mayor parte de los casos, tal relación cumplirá su ciclo, y la pareja decidirá casarse o alejarse. ¿Describe esto lo que te pasa a ti? ¿Tienes temores persistentes acerca de la dirección en que va la relación y adónde llegará? ¿Es posible que este arreglo "fácil" te guste a corto plazo, pero que no ofrezca suelo fértil para la relación duradera que deseas muy profundamente?

Algunos de los que leen este libro no necesitan un inventario relacional. Su mundo emocional y relacional es una herida abierta en carne viva. De hecho, la piel debajo del dedo anular todavía da testimonio de que estuviste casado pero ahora caminas solo. Has entrado a un mundo nuevo, el mundo donde eres "soltero otra vez". Es extraño, diferente, incómodo. Miras a otras personas, y tienes miedo de que vean la mezcla de desesperación y desilusión en tu rostro. Te esfuerzas por descubrir cómo son verdaderamente los demás, mientras proteges y escondes tu propia identidad. No quieres revelarte demasiado pronto. Todavía estás herido por tu relación rota, pero te ves impulsado por tu necesidad de amor a encontrar una persona especial a quien querer y quien te quiera.

Sea cual fuere el ejemplo con el cual más te identifiques, probablemente hayas notado que comparten una característica. Todos están buscando el amor en forma particular. Aunque rara vez lo consideramos de este modo, casi todos seguimos un conjunto de reglas tácitas y tenemos ciertas suposiciones acerca de las relaciones. Pero la mayor parte de nosotros nunca ha cuestionado de dónde vienen estas reglas o suposiciones ni por qué vale la pena seguirlas. Pasamos de relación en relación y frecuentemente de dolor en dolor con ciertas presuposiciones ampliamente compartidas acerca de lo que es el amor, cómo encontrarlo y qué hacer cuando no lo tenemos. Desafortunadamente, nuestras ideas acerca del amor y nuestro método para hallar el amor de nuestra vida, rara vez han sido meticulosamente examinados o evaluados. Las reglas sobre las relaciones son parte tan integral de nuestra cultura que casi nunca nos hacemos estas importantes preguntas:

- ¿Estoy buscando el amor de una manera que funciona?
- ¿Estoy encarando la evolución de esta relación de manera que construya intimidad, profundidad, resistencia y gozo?

Por el contrario, la mayor parte de nosotros sencillamente sigue las reglas mientras va por la vida mirando, buscando y experimentando en intentos por hallar el *amor*, el *sexo* y las *relaciones duraderas.*

Lo que estoy por compartir en la próxima sección, tal vez contenga las ideas más importantes que leerás en este libro. Voy a plantear que el paradigma (conjunto de reglas tácitas) acerca del amor que hemos aceptado es disfuncional. De hecho, voy a sugerir que se nos ha lavado inconcientemente el cerebro para que creamos en una serie de premisas falsas acerca de cómo deberían desarrollarse el *amor*, el *sexo* y las *relaciones duraderas*. No estoy sugiriendo que haya habido un intento siniestro por arruinarnos la vida, pero sí afirmo enfáticamente que nuestra cultura ha desarrollado una manera de pensar acerca de las relaciones que bien examinada resulta incapaz de producir el tipo de relaciones que estamos buscando.

¿No es hora de que volvamos a evaluar nuestra perspectiva del amor y de cómo crece? ¿Acaso no es lógico, ante tantas secuelas, caos y dolor debido a las malas relaciones, que nos detengamos para preguntarnos de dónde sacamos las ideas acerca de cómo funcionan nuestras relaciones? ¿No podrá ser que estamos tratando de encontrar algo que no existe o que sencillamente lo estamos buscando en el lugar equivocado y de manera equivocada?

> Nuestra cultura ha desarrollado una manera de pensar acerca de las relaciones que bien examinada resulta incapaz de producir el tipo de relaciones que estamos buscando.

¿De dónde sacas tú la mayor parte de tus ideas acerca del amor? ¿Cuáles son tus fuentes de información acerca del *amor*, el *sexo* o las *relaciones duraderas*? Antes de seguir, volvamos al punto de partida y miremos con mayor detenimiento las reglas tácitas que hemos aceptado inconscientemente como verdaderas. Examinemos juntos de dónde sacamos nuestras ideas acerca del amor.

¿De dónde sacamos nuestras ideas acerca del amor?

Puedo imaginar un mundo donde los niños se crían rodeados de buenos ejemplos de relaciones amorosas. Puedo ver a madres y padres que comparten abiertamente su afecto, avivando el fuego del amor, hablando con sus hijos acerca de cada aspecto de las relaciones. Puedo imaginar momentos entre padres e hijos y entre madres e hijas cuando van compartiendo ideas apropiadas a la edad acerca del amor y la sexualidad. Pero, ¿alguna vez te pasó algo así a ti? ¿Alguna vez tu mamá y tu papá se sentaron junto a ti y te enseñaron la manera correcta de construir una relación sana con el sexo opuesto? ¿Alguna vez adultos sabios y de confianza te dijeron de qué se trataba realmente el sexo, más allá de los detalles físicos que aprendiste en una clase de biología o educación sexual en la escuela secundaria? ¿Alguna vez participaste en una conversación familiar cálida y positiva donde se te dijo que la vida sexual puede ser hermosa, buena y maravillosa, pero que debías tener cuidado porque la vida sexual puede distorsionarse y ser destructiva de tales o cuales maneras? ¿Alguna vez te hablaron tus padres acerca de la manera de construir intimidad en una relación a través de la comunicación, el compromiso y las metas claras compartidas?

Para la mayor parte de nosotros, la respuesta es *no*. Nadie nos dio pautas confiables para estas áreas personales de nuestra vida. La mayor parte de nosotros aprendió acerca del *amor*, el *sexo* y las *relaciones* a través de nuestra cultura. Tristemente, nuestros maestros han sido adolescentes mayores que a su vez eran producto de hogares disfuncionales. Por si fuera poco, los medios de comunicación nos han vendido un concepto falso en cuanto al *amor*, el *sexo* y las *relaciones*. Después de escuchar miles de canciones y absorber una dosis diaria de televisión, películas y novelas románticas, nuestra mente y nuestro corazón están llenos de ideas falsas acerca de lo que significan el amor, el sexo y las relaciones.

En conjunto, todas estas canciones, programas de televisión, películas y libros nos han inculcado una receta definida acerca del funcionamiento del amor, el sexo y las relaciones. Tú y yo hemos pasado innumerables horas acompañando las canciones populares, siguiendo los programas de televisión y esperando la próxima aparición de nuestro héroe cinematográfico preferido. Simultáneamente, nos hemos convencido subconscientemente de que si seguimos un sencillo plan de cuatro pasos en lo referente a las relaciones, funcionará igual que en las películas o las canciones. No me malinterpretes. No quiero decir que todos los autores de canciones, películas y libros se juntaron para crear un plan específico de cuatro pasos. Lo que sí quiero decir es que si se analizan las canciones, las películas y los libros que llenan nuestra vida, se verá que surge de ellos un conjunto claro y uniforme de suposiciones acerca de las relaciones. Aunque no se lo haya propuesto, Hollywood tiene una fórmula para el *amor*, el *sexo* y las *relaciones duraderas*. Sin embargo, una vez que examinemos esta fórmula, es posible que decidamos que podría describirse mejor como: "La fórmula de Hollywood para las relaciones sexuales, el amor y las relaciones fallidas". Si te parece que estoy exagerando, ten en mente tus propios conceptos del amor y del sexo mientras comparto una perspectiva general de la llamada fórmula de Hollywood. Pregúntate si esta fórmula no promete que se puede ser amado profundamente, tener relaciones sexuales espectaculares y perderse en el ocaso con otra persona para siempre si sencillamente se imitan las películas.

La fórmula de Hollywood

Veamos lo que dice Hollywood acerca de la relación exitosa. He eliminado la iluminación, las escenas cálidas, las caminatas por la playa tomados de la mano, los momentos en cámara lenta y la música de fondo que se intensifica y se suaviza. Voy al grano.

Según Hollywood, hay, básicamente, cuatro pasos que conducen a las relaciones profundas, íntimas y ardientes que duran para siempre.

Paso 1: Encontrar a la persona correcta

Así es. La clave del amor es encontrar a esa persona especial que fue hecha sólo para ti. Está ahí; sólo hay que encontrarla. Pasea en auto. Asiste a fiestas. Mantente alerta. El momento llegará. ¿Recuerdas la escena de la película *Mientras dormías,* cuando Sandra Bullock encuentra "el hombre correcto" cuando este se le acerca en el subterráneo para comprar un pasaje? Después, él sufre un golpe que le hace perder el conocimiento; y mientras ella lo está visitando en el hospital, conoce al hermano de él que resulta ser el verdadero "hombre correcto". En *Dulce noviembre,* Keanu Reeves intenta copiar en el examen para la licencia de conducir, mete a Charlize Theron en dificultades y conoce el amor de su vida. Por lo general, James Bond conoce a "las mujeres correctas" cuando están tratando de matarlo. Jennifer López conoce a su Príncipe Azul en una película, cuando él evita que ella sea atropellada por un camión; y luego, en la próxima película encuentra el amor de su vida mientras se desempeña como la mucama que limpia habitaciones en un lujoso hotel.

¿Estás captando la idea? Ya sean las películas y las estrellas de hoy o los Clark Gable, Cary Grant, Marilyn Monroe o Raquel Welch del pasado, el mensaje es siempre el mismo. ¡El descubrimiento de la persona correcta sencillamente se da! Es alocado, es accidental y el participante está indefenso. Tarde o temprano se encuentra a "la persona correcta". Espérala en el momento más inesperado. A la vuelta te encontrarás con alguien mucho mejor que cualquiera que hayas conocido hasta ahora. El amor verdadero es místico y mágico. Tiene que ver con encontrar a la persona correcta. Si le puede pasar a Jennifer López, te puede pasar a ti. Solamente tienes que seguir buscando.

Paso 2: Enamorarse

Cuando se encuentra a esa persona, algo sucede y usted lo sabe. Nadie sabe cómo, pero te darás cuenta. Algo en la forma de caminar o hablar; una mirada breve o un gesto pueden ser suficientes. A lo mejor no conozcas su nombre ni sepas mucho de ella o él, pero sabrás que estás enamorado(a). En *Sin dormir en Seattle*, a Tom Hanks le basta que su hijo salga en la radio y le cuente al país la triste historia de su vida para que Meg Ryan sepa que lo ama. Cuando finalmente se encuentran a pesar de todos los obstáculos en la cima del Edificio *Empire State*, dos extraños se enamoran instantáneamente tras una mirada. ¿Es la música? ¿La altura? ¿O sencillamente el guión? O, como suele decirse, ¿es la magia del amor?

En las películas, la gente puede enamorarse de extraños y es un amor verdadero. En la fórmula de Hollywood, el amor se basa en la química, no en el conocimiento ni en el carácter. Según el concepto del amor de nuestra cultura pop, se puede cantar: "Hola, te amo; ¿cómo te llamas?", sin ningún empacho. Estarás seguro que estás enamorado porque tendrás sentimientos empalagosos y sentirás impulsos eléctricos por todo el cuerpo. Desafortunadamente, tu coeficiente intelectual bajará treinta puntos inmediatamente. Gastarás el dinero que no tienes. Perderás tiempo haciendo cosas ridículas. Esta experiencia asombrosa y buscada de "enamorarse" se equipara con sensaciones abrumadoras que vuelven superfluos a la razón, los antecedentes, los intereses compartidos y la compatibilidad. Hollywood dice que el amor "te vuelve loco". Tomarás decisiones que todos los que te conocen considerarían lo más tonto que hayas hecho en tu vida. Pero estás enamorado. Y el amor es lo único que vale. Lo sabes porque las emociones tan fuertes, repentinas y abrumadoras deben ser reales. La única opción parece ser tomar el próximo paso.

Paso 3: Fijar las esperanzas y los sueños en esa persona para la realización futura

En las películas, el amor inhabilita a todas las otras decisiones. Novios y novias quedan plantados en el altar porque sus futuras parejas deciden irse con otra persona, de la cual están "verdaderamente enamorados". En la versión de Hollywood, una vez que te enamoras, todas las otras promesas que hayas hecho quedan anuladas. No se te puede exigir que cumplas ningún compromiso previo. La persona con la cual te "enamoras" se convertirá en el objeto de tu vida, tu futuro, tus sueños y tu satisfacción. De repente, te das cuenta de que sólo con esa persona estará completa tu vida. La vida tendrá sentido como nunca antes (con excepción de todas las otras veces que te hayas enamorado). De hecho, descubrirás que estás viviendo y pensando en las letras de tus canciones favoritas: "no sé qué haría sin ti", y: "no puedo seguir sin ti". Comienzas a creer que no puedes seguir adelante sin esa persona. Sueñas constantemente con ella, escribiendo guiones románticos y perfectos acerca de la vida futura juntos. Realmente, crees que esta persona suplirá tus anhelos y necesidades más profundas y te satisfará el cien por ciento del tiempo. Aunque intelectualmente sepamos que esto es imposible, se nos ha enseñado sutilmente a basar nuestra futura felicidad en la expectativa subconsciente de que el descubrimiento de la persona correcta resolverá todos nuestros problemas.

Hollywood equipara el encaprichamiento con el amor. Este período de intenso encaprichamiento y emociones sobrecargadas puede durar de seis semanas a dieciocho meses. Cuando los sentimientos comienzan a calmarse (inevitablemente), se nos ha condicionado para creer que nuestro amor está muriendo. La pareja perfecta resulta tener una o dos fallas.

> ## Hollywood equipara el encaprichamiento con el amor.

No llega a igualar a nuestra imaginación. El conflicto relacional comienza a erguir su fea cabeza. La insatisfacción comienza a erosionar esos sentimientos eufóricos. Desilusionados y desanimados, comenzamos a cambiar nuestro enfoque. A medida que las emociones se calman y la irritación se intensifica, comenzamos a culpar a la otra persona de nuestros problemas.

Hollywood provee un conveniente "Plan B" cuando el "amor verdadero" falla. Abundan los lugares comunes que describen como nos hemos "distanciado" o "desenamorado" o lo bueno que era, pero "ya no es lo mismo". Nos hacen creer que "desenamorarse" es un riesgo previsible y natural de las relaciones. O escogimos la persona equivocada o era la persona correcta para una etapa y esa etapa ya pasó. Nuestra falta de amor no tiene nada que ver con nosotros; sencillamente es el resultado de descubrir que ya no tenemos a la persona correcta a nuestro lado. Como esto sucede con frecuencia, la fórmula de Hollywood tiene un cuarto paso que se ha convertido en la norma de la vida en la cultura occidental.

Paso 4: Ante el fracaso, repetir los pasos 1, 2 y 3

Tarde o temprano, el paso 3 suele conducir al fracaso. Cuando llega el rompimiento relacional, la fórmula de Hollywood ofrece una solución rápida y supuestamente indolora. Toma el paso 4: volver al principio. Repite los pasos 1, 2 y 3. Es hora de volver a (1) **encontrar la persona correcta**, (2) **enamorarse, y (3) fijar las esperanzas y los sueños en esta persona nueva y mejor que se ha encontrado.** A lo mejor esta vez funcionará. Se pasa a la próxima pareja, repitiendo los pasos 1 a 3.

La premisa detrás de la fórmula de Hollywood es la siguiente: la clave del amor es encontrar la persona correcta. Si tu relación actual no está funcionando, si por alguna razón esta persona no satisface todos tus sueños y deseos, si no te sientes estimulado, es porque debes tener a la persona equivocada. A lo mejor parecía la persona correcta al principio, pero el hecho de que las emociones hayan disminuido significa que no era realmente la persona indicada para ti. Descártala y búscate otra. Cuando tengas problemas, simplemente repite la fórmula hasta que tengas éxito.

Sé que lo que he compartido suena algo burdo e incluye una buena dosis de sátira. Pero el hecho sigue siendo de que los libros, las películas, las canciones y los programas de televisión que se han convertido en parte común de nuestra forma de pensar y de nuestro vocabulario nos están diciendo constantemente que el camino hacia el *amor*, el *sexo* y las *relaciones duraderas* consiste en los cuatro pasos que he presentado. A lo mejor parezca duro y rompa algunos sueños románticos, pero esta fórmula de los cuatro pasos de Hollywood es lo que, en la actualidad, la mayor parte de nosotros cree acerca de cómo funcionan las relaciones. Es la base sobre la cual abordamos nuestra sexualidad. Es la manera que evaluamos si nuestra relación funciona o no. Si esta fórmula está equivocada y es disfuncional, como sugiero, por lo tanto, debemos cambiar nuestra idea básica acerca de las relaciones si hemos de descubrir y disfrutar el tipo de amor, vida sexual y relaciones duraderas que Dios tiene en mente para nosotros.

Antes de que llegues a la conclusión de que he sido muy duro con la fórmula de Hollywood, repasemos rápidamente el éxito de esta fórmula en los Estados Unidos de América, y que sin duda se aplica a otras regiones del mundo.

Reporte de calificaciones de la fórmula de Hollywood

Me doy cuenta de que podría tirar abajo algunas de nuestras suposiciones más queridas acerca del amor, pero consideremos francamente el éxito de la fórmula de Hollywood. ¿Cómo funciona en la vida de las personas que la ponen en práctica?

La población de personas divorciadas es la categoría de estado civil que tiene el índice de más rápido crecimiento en los Estados Unidos de América. En 1970, el número total de personas divorciadas era de 4,3 millones. Para 1996 (27 años más tarde) había aumentado a 18,3 millones[1]. Si estuviéramos hablando de un virus o una infección, los CCE (Centros de Control de Enfermedades) dirían que es una epidemia catastrófica. Pero esto va mucho más allá de los desdichados fracasos de "adultos en mutuo acuerdo". No sólo fracasa espectacularmente la fórmula de Hollywood, sino que causa dolor, secuelas y daños inmensurables.

> **Tristemente, no sólo negamos la presencia endémica del divorcio en nuestra sociedad, sino que nos esforzamos por encubrir sus devastadores efectos.**

Tristemente, no sólo negamos la presencia endémica del divorcio en nuestra sociedad, sino que nos esforzamos por encubrir sus devastadores efectos. A pesar de toda la violencia, la ira y la amargura que resuenan en los tribunales lo que oímos es: "Seguimos siendo amigos; sencillamente fue un error", o:

"Nuestros hijos saben que los amamos y que seguiremos cuidando el uno del otro (aunque ya no aguantemos estar juntos)". Así se trata el divorcio en público. Desafortunadamente, cuanto más fuerte gritamos: "divorcio sin culpa" o "divorcio amistoso", tanto más encubrimos los daños. La investigación en los Estados Unidos de América indica que el dolor, las secuelas y los daños van más allá de los hijos. Después de un divorcio, un tercio de todas las mujeres se encuentra en el nivel de pobreza o por debajo del mismo en algún momento. Las relaciones fracturadas entre parientes políticos y amigos afectan círculos cada vez mayores y perduran toda la vida.

Hace poco, Judith Wollerstein escribió un artículo en la revista *US Weekend* titulado *"Children of Divorce, Twenty Five Years Later"* (Hijos del divorcio, 25 años más tarde)[2]. En él describió un nuevo estudio que marca un hito. El estudio rastreó a hijos del divorcio durante veinticinco años. Halló que el impacto negativo de la desintegración de la familia continúa en la adultez. Uno de estos hijos observó lo siguiente: "Una parte de mí siempre espera que golpee un desastre. Vivo temiendo que alguna pérdida enorme cambiará mi vida". Este es el impacto del divorcio 25 años más tarde para los más duramente golpeados.

El artículo cita a Mavis Hetherington, investigadora del divorcio y profesora de psicología marital en una universidad de los Estados Unidos de América: "A corto plazo, el divorcio siempre es problemático para los niños". Ha filmado y estudiado el funcionamiento de 1.400 familias divorciadas desde principios de la década de los años 70 y señala un período de crisis aproximadamente dos años después de la separación cuando los adultos, preocupados por su propia vida, típicamente descuidan sus deberes como padres en el momento que sus hijos están tambaleando bajo el golpe de su pérdida. ¿Es de sorprenderse que la gente no esté emocionalmente conectada en nuestra época? ¿Podría esto ser la razón por la cual en los últimos diez años en lugar de que los varones se casen a los 23 años y las mujeres a los 20 años, los varones ahora se están casando a los 27 ó 28 años y las mujeres a los 23 años? ¿Te sorprende que la cohabitación se haya cuadruplicado? ¿Oyes lo que esta generación está diciendo con sus acciones y a veces con sus palabras?

* "No sé si creo en el matrimonio".
* "Cuando me acerco a alguien siempre me pasa lo mismo, tengo miedo al compromiso".
* "No sé cómo debe funcionar el matrimonio, pero sé que me crié en una familia donde no funcionaba".
* "Tengo temas y dolor sin resolver, y mucho temor acerca de las relaciones".
* "Quiero intimidad y anhelo estar conectado con otra persona, pero me arrancaron el corazón y nadie me ayudó con el dolor. Me dijeron que se me pasaría, pero no se me pasó. Tengo miedo de abordar nuevas relaciones".
* "Mis modelos no funcionaron, y tengo sentimientos encontrados acerca de mis padres. Pasaba dos días con uno y dos semanas con el otro, el verano en una casa y el año escolar en otra. Me pedían que escogiera con quién me quería quedar. ¿Por qué ellos escogieron no seguir juntos?".

Y el dolor continúa.

No obstante, Hollywood sigue promoviendo su promesa: encuentra la persona correcta, enamórate y pon tus esperanzas y sueños en ella. Si no funciona, no hay problema; encuentra a otra persona. De hecho, en algunas películas y canciones, el mensaje está dirigido directamente a los que ya tienen relaciones. Si encuentras a otra persona y todavía estás casado, pudieras decir: "Amarte a ti es incorrecto, pero no quiero hacer lo correcto". Sin embargo, escondido detrás de las palabras y de la música pegadiza, descubrirás una filosofía que promete un nuevo amor que sólo produce destrucción. Lo que comienza por "sentirse tan bien" termina siendo tan equivocado.

Seguimos haciendo lo mismo en una relación tras otra, y esto sigue produciendo los mismos resultados trágicos.

A menos que busquemos una alternativa conscientemente, terminamos siguiendo la cultura que nos rodea. Esa cultura está saturada con la fórmula de Hollywood. Cantamos junto con los éxitos de esa fórmula. Leemos acerca de ella; la miramos y, casi inconscientemente, todos la hemos aceptado en una medida u otra. He descubierto que la fórmula de Hollywood está tan presente entre los cristianos como entre los que no lo son. Y los resultados son igualmente desastrosos. Seguimos haciendo lo mismo en una relación tras otra, y esto sigue produciendo los mismos resultados trágicos. No aceptaríamos estos mismos resultados en otras áreas de la vida. ¿Por qué los aceptamos en esta área tan importante de nuestra vida? Por ejemplo, si pones el pulgar en una superficie dura, tomas un martillo y te golpeas, te dolerá mucho. Si nunca te ocurrió antes, tal vez te preguntes si hay una relación entre el dolor y el golpe del martillo. Para verificar tus hallazgos, levantas el martillo y vuelves a golpearte el pulgar. Probablemente, sea más que suficiente para llegar a una conclusión duradera.

Pero cuando se trata de la fórmula de Hollywood, parecería que nos negamos a usar el sentido común. Es como tomar un martillo y quebrar una relación tras otra, mientras decimos:

"Debo haber usado el dedo equivocado; probemos otro". Nos causamos un dolor increíble una y otra vez. ¿Sabes lo que Dios siente cuando un matrimonio se desintegra? ¿Sabes lo que Dios siente cuando la separación de los padres destroza a los hijos? ¿Sabes lo que Dios siente cuando ve el dolor, el rechazo y la soledad que sienten las personas cuando se rompen sus relaciones? Dios llora de compasión. Pero Dios no se limita a observar; desea ayudar. Quiere que la gente sepa que tiene una mejor manera, un mejor plan para ella y para sus relaciones. Lejos de la fórmula estandarizada de Hollywood que promete amor y causa dolor, Dios tiene una receta para el *amor*, el *sexo* y las *relaciones duraderas*. Dios creó un plan especialmente diseñado para que disfrutemos lo más sublime y lo mejor con el sexo opuesto. La fórmula de Hollywood es un pobre Plan B. Dios tiene un Plan A, que realmente funciona.

¿Dónde te encuentras en tu vida amorosa? ¿Cuánto de la fórmula de Hollywood has incorporado inconscientemente en tu búsqueda de amor? ¿Estás satisfecho con los resultados del Plan B de Hollywood o estás listo para el Plan A de Dios?

Aunque no nos vamos a olvidar del Plan B en el resto del libro, nuestra intención es concentrarnos en el Plan A. Creo de todo corazón que si entiendes el plan original de Dios para las relaciones y tienes una idea clara de la manera en que este plan puede funcionar en tu vida, el atractivo superficial del Plan B de Hollywood desaparecerá. ¡La fórmula de Hollywood ha fallado! ¡Está equivocada! ¡No funciona! Es hora de detenerse, hacer una evaluación y trazar un nuevo rumbo hacia el amor significativo, el sexo íntimo y las relaciones duraderas.

Evaluación personal

Toma un momento, antes de seguir leyendo este libro, para considerar las siguientes preguntas. Han sido diseñadas para permitirte personalizar la verdad que hemos presentado en este capítulo.

1. ¿Cómo describirías los efectos de la fórmula de Hollywood en tu propia vida y relaciones?

2. ¿Cuál de los pasos de la fórmula de Hollywood ha producido la lucha oculta más importante de tu vida? ¿Por qué? A continuación están los cuatro pasos con el efecto que cada uno suele producir:

A. *Encontrar la persona correcta.* Estar siempre "a la pesca".
B. *Enamorarse.* Sentirse fuertemente atraído a personas que son prácticamente desconocidas.
C. *Fijar las esperanzas y los sueños en esa persona.* Pasarse horas pensando en fantasías, imaginando una vida perfecta con alguien que casi no se conoce pero que se está seguro que sería todo lo que se necesita en un compañero.
D. *Empezar de nuevo.* Puede verse un patrón de sueños incumplidos o relaciones fracasadas que indica que has aceptado la suposición de que los problemas, las luchas y las emociones en declive significan que ya no tienes a la persona correcta en tu vida.

3. ¿Qué parte de tu vida relacional te produce más inquietudes o insatisfacción? Explícate. A continuación se encuentra una lista con posibles áreas de inquietud:

A. Falta de candidatos: deseas una relación amorosa profunda pero no pareces conocer el tipo de persona que satisfaga ese deseo.

B. Falta de profundidad en la comunicación: tu relación actual es superficial; los momentos cuando se comparte honestamente y a fondo son poco frecuentes o inexistentes.

C. Falta de pasión: los aspectos sexuales y afectivos de tu relación parecen viciados, aburridos, poco frecuentes o inexistentes.

D. Falta de compromiso: no oyes, intuyes ni sientes que tu pareja haya asumido un compromiso irrevocable contigo y con la relación. Tu vida de pensamientos privados frecuentemente se caracteriza por celos, temores e inseguridades.

4. ¿Cómo describirías tu nivel de interés en hallar una alternativa a la fórmula de Hollywood y en conseguir ayuda específica y práctica con lo que has identificado como tu mayor inquietud en la pregunta 3?

Dos modelos
de relaciones duraderas

L a sala estaba repleta y me transpiraban las manos. Había entre 80 y 100 personas que recientemente habían sufrido el trauma del divorcio. No conocía a la mayor parte de ellas. Venían de todas partes y con todos los antecedentes posibles a un programa de recuperación del divorcio de ocho semanas; el mismo que había ganado la reputación de ser el programa apropiado para conseguir ayuda verdadera cuando el mundo relacional está destrozado. Algunos asistieron por recomendaciones de amigos. Otros estaban por el impulso de algo más fuerte como el de un juez local que aconsejaba sobre cómo conseguir ayuda a los que tramitaban el divorcio.

Yo era el pastor principal de la iglesia donde se reunían. Mi tarea era hablar durante la sexta sesión semanal. Eché un vistazo al título de mis apuntes: "Cómo crecer por medio del divorcio". Las personas que me miraban habían pasado las últimas cinco semanas enfrentando sus sentimientos de dolor, rechazo, culpa, ira y fracaso. Habían comenzado a procesar lo que había fallado en su matrimonio y la parte del fracaso de la cual eran responsables. A estas alturas estaban luchando con el tema del perdón; por qué era tan difícil pero a la vez un paso tan esencial, para que ellos puedan construir una nueva vida. Habían asistido a conferencias, completado tareas y compartido su peregrinaje en grupos pequeños. Me costaba interpretar sus rostros. Se les había dicho que yo les daría ayuda muy práctica. Al mirarlos a los ojos, me parecía que no lo creían.

Sabía tres cosas acerca de mis oyentes. Primera, la mayor parte de ellos no eran creyentes. Segunda, casi todos ellos habían aceptado la fórmula de Hollywood para el *amor*, el *sexo* y las *relaciones duraderas*; muchos la habían puesto en práctica más de una vez. Tercera, lo que menos querían oír era que un pastor los condenara por su vida desordenada.

Comencé explicándoles que entendía su dolor y que mi función era ayudarles, no predicarles. Puse en claro que creía que sólo Dios tenía la solución verdadera para sus problemas relacionales, pero traté de asegurarles que trataría de no presionarlos ni juzgarlos. Durante estas palabras preliminares, podía ver su incomodidad en la manera que se movían en sus asientos y en sus miradas desafiantes. Varios se cruzaron de brazos como una señal clara de que no creían para nada que yo "entendiera su dolor". Algunos parecían estar protegiéndose del mensaje duro y vergonzoso que creían estaban por escuchar.

Presenté a mi esposa, Theresa, y compartimos nuestra historia con el grupo. Les conté que los dos nos habíamos criado en hogares que no eran cristianos. Aprendimos acerca de las relaciones como la mayor parte de la gente, absorbiendo las pautas culturales y las reglas tácitas en el camino. Cuando intentamos vivir según ese esquema relacional, no pareció funcionar para ninguno de los dos. Salí con muchas muchachas durante mi época universitaria y los primeros años que la siguieron, buscando siempre "la persona correcta". En lugar de ello, logré acumular un gran bagaje emocional y mucho dolor cada vez que terminaba una relación. Sé que también causé dolor a otras personas. Obtuve mucha experiencia acerca de cómo *no* funcionan las relaciones y muy poco entendimiento de su funcionamiento correcto.

Entonces Theresa empezó a contar su historia. En cuanto ella comenzó a describir su primer matrimonio, la gente se dio cuenta de que pasaba algo. Intuyeron que no estábamos por contar un cuento de hadas. El tono de voz de mi esposa les dijo que ya había atravesado el camino tan conocido para ellos. Theresa habló de su lucha al casarse recién egresada de la universidad, de tener que trabajar para que su marido pudiera estudiar y el alivio y el gozo pasajeros de un embarazo de mellizos. Luego compartió la conmoción, la confusión y el dolor de ser repentinamente abandonada por su esposo a causa de otra mujer, poco antes de que nacieran sus hijos. Recordó el rechazo y la humillación de descubrir que su pareja le había sido infiel durante más de un año. Su voz expresaba las heridas repetidas causadas por los repetidos fracasos de reconciliarse. Su esposo se mudó a otro estado con otra mujer. Su matrimonio había terminado hecho añicos, y su vida no tenía sentido. ¿Qué pasó con los intentos por construir y salvar el matri-

> Las cabezas asentían y las lágrimas corrían mientras Theresa compartía abiertamente la profundidad de su dolor y el alcance de su soledad y rechazo.

monio? ¿Qué pasó con el amor? ¿Qué iba a pasar con los niños?
¿Era posible que existiera tal engaño, tal insensibilidad, tal
dureza ante cualquier gesto de paz o comprensión?

La gente sentada no necesitaba más detalles; conocía perfectamente el punto de desesperación al cual Theresa había llegado. Ella había apostado sus esperanzas, sus sueños y su futuro
en otra persona que resultó ser completamente indigna de su
confianza. Las cabezas asentían y las lágrimas corrían mientras
Theresa compartía abiertamente la profundidad de su dolor y
el alcance de su soledad y rechazo. Cuando llegó a este punto
de la historia, hizo una pausa de varios momentos. Desde donde
estaba sentado, yo podía ver toda la sala. Durante el silencio,
las preguntas comenzaron a mostrarse en los ojos del público:
*¿Qué pasó? Ahora está aquí. ¿Cómo sucedió esto? ¿Cómo superó
lo que no creo que se pueda superar jamás? ¿Cómo sobrevivió?*

Sin cambiar de tono, Theresa continuó con su relato. Su
desesperación la condujo a buscar a Dios. Al principio se preguntaba si siquiera existía. Contó sencillamente el dolor de su
peregrinaje y de cómo Cristo se le reveló en una pequeña iglesia. No hubo cambios instantáneos ni arreglos rápidos, sino
una profunda paz y esperanza que le dieron un nuevo rumbo
a su vida. Al compartir su experiencia, un espíritu de esperanza
parecía invadir al grupo. Aun los que antes se habían resistido
de una manera muy obvia, ahora estaban pendientes de cada
palabra. Theresa describió suavemente cómo halló a alguien que
nunca la abandonaría, que nunca la desilusionaría, que siempre
la amaría y que le aseguró que había un plan maravilloso para
su futuro.

Aparentemente, se dio cuenta de que unos cuantos me estaban mirando; así que agregó con una sonrisa: "Eso fue bastante
antes de que conociera a Chip". Se rieron. Ella continuó: "En el
punto más bajo de mi vida, cuando no tenía nada que ofrecer

a cambio, Jesús entró en mi vida como Salvador y amigo". Describió la manera en la cual Dios se volvió tan personal y amoroso hacia ella que llenó el vacío dejado por su esposo y se convirtió en un padre para sus hijos. Cristo cambió la imagen que ella tenía de sí misma, así como de su perspectiva de la vida. Cambió la manera en la cual ella abordaba las relaciones. Con otra sonrisa, dijo: "Cuatro años más tarde, nos juntó a Chip y a mí".

Cuando ella terminó de hablar y yo me estaba preparando para ir al podio, me di cuenta que el ambiente de la sala había cambiado radicalmente. Los presentes habían pasado de ser un grupo desconfiado y frío a uno que esperaba que estuviéramos diciendo la verdad. Durante los próximos minutos, compartimos algo de los más de 25 años transcurridos desde entonces. Les contamos que los mellizos se han transformado en hombres piadosos de gran calidad. Describimos nuestro propio amor vibrante y la profunda relación que hemos desarrollado a pesar de todo nuestro bagaje. A medida que hablamos, se llevó a cabo otra transformación. Los oyentes estaban inclinados hacia nosotros, expectantes. El silencio en la sala era tan intenso que no estaba seguro de que estuvieran respirando. Sus rostros y su lenguaje corporal parecían gritar: *¿Cómo? ¡Díganmelo! ¿cómo se puede salir de un pasado tan destrozado y disfuncional, y sin embargo hallar el amor auténtico, la intimidad sexual y una relación duradera?*

En ese momento supe que estaban listos para oír acerca de las grandes diferencias entre la fórmula de Hollywood y la receta de Dios para el *amor*, el *sexo* y las *relaciones duraderas*. Pero, en lugar de lanzar una conferencia, detallando los cuatro pasos de la fórmula de Hollywood, les hice dos preguntas sencillas y penetrantes:

¿Cómo encaran ustedes la búsqueda del verdadero amor?
¿Dónde aprendieron ese enfoque?

Me hubiera gustado sacar una foto de los rostros carentes de expresión. No tenían la más mínima idea de lo que significaban estas preguntas. Ahora ya estoy acostumbrado a ver esas miradas cada vez que las hago. A lo mejor tú tengas esa misma expresión en este mismo momento.

Era obvio que ellos, al igual que la mayor parte de nosotros, no habían pensado mucho acerca de la manera en que buscaban el amor. Por cierto, tampoco sabían dónde la habían aprendido. Su confusión sencillamente confirmaba lo que dijimos acerca de la fórmula de Hollywood en el primer capítulo: es un conjunto de reglas tácitas que se han introducido sutilmente en nuestra cultura y en nuestro pensamiento de tal manera que, ni siquiera sabemos de dónde vinieron.

Caminé hacia un tablero blanco y empecé a dibujar el diagrama que se encuentra a continuación. La pirámide invertida representa el punto de partida y la secuencia de las fases por las cuales pasamos cuando buscamos una relación amorosa con el sexo opuesto.

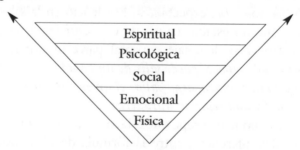

Sin mencionar la fórmula de Hollywood por nombre todavía, describí con franqueza lo que la mayor parte de nosotros aprendió acerca del funcionamiento de las relaciones. Estoy seguro de que el grupo estaba desconcertado por mi sinceridad pero, ¿por qué andar con rodeos si esa es la manera en la cual todos aprendimos a actuar?

La fase física

Cuando terminé de dibujar el diagrama en el tablero, puse el dedo en la punta inferior del triángulo y comencé a describir el proceso: "Se nos enseñó a comenzar aquí; con lo físico". Anoté la palabra y expliqué: "Buscamos esa belleza, ese Príncipe Azul. Es todo cuestión de química y atracción. Los hombres vemos el suéter apretado, la falda ajustada e intentamos aun vislumbrar los pechos. La estrategia básica que usamos para encontrar el amor verdadero apunta hacia lo físico". Me di cuenta de que los hombres estaban identificándose conmigo en un ciento por ciento. Después agregué: "Aunque las mujeres no hayan sido tan culpables de una perspectiva tan reducida en el pasado, los tiempos han cambiado. El 'factor macho' ha pasado de un mentón fuerte, ojos soñadores y un buen cuerpo al *jean* ajustado, y a las pruebas de glúteos atractivos que muchas mujeres aplican hoy en día". El lenguaje corporal de varias mujeres confirmaba que estaban tan interesadas en el aspecto físico como cualquier hombre de la sala.

> En nuestra cultura, el aspecto físico y el atractivo sexual son de suprema importancia.

Continúe: "Si hay chispas, avanzamos. Si no, seguimos buscando. En nuestra cultura, el aspecto físico y el atractivo sexual son de suprema importancia. Los primeros encuentros o citas frecuentemente incluyen besos y contacto físico íntimo que muchas veces termina en relaciones sexuales entre verdaderos extraños. Si la experiencia es positiva para ambos, la pareja pasa a la próxima etapa, la de construir una conexión emocional". Hasta ese momento, yo les estaba describiendo una manera de ver la vida que ellos la reconocían como propia.

La fase emocional

Después de escribir la palabra "emocional" en el tablero, expliqué que la fase emocional marca el principio de sentimientos eufóricos conocidos como encaprichamiento y frecuentemente llamados "enamoramiento". Cada integrante de la pareja comienza a considerar al otro como el enfoque casi exclusivo de su vida. El énfasis en la relación se expresa a través del tiempo que pasan juntos y de la expresión física del amor. Debido a la intensidad de sentimientos positivos en esta fase, la pareja frecuentemente no habla de la relación en sí. Está disfrutando demasiado de las emociones como para hablar de la relación o hacia dónde ésta se dirige. Esta fase, equilibrada precariamente sobre una base física, también tiende a estar llena de cambios de humor. Una adoración frenética puede ser seguida casi instantáneamente por celos irracionales. Puesto que es tan poco lo que cada uno conoce del otro, las cosas que dice o hace son interpretadas según las propias experiencias y actitudes del otro.

Podía ver cómo se iba encendiendo una que otra lamparita mental entre los oyentes. Nunca habían examinado sus propias experiencias desde esta perspectiva. Continué: "Algunas parejas desarrollan rápidamente un ciclo de pelea y reconciliación en su relación, que crea dificultades especiales; justo ahora cuando la pareja pasa a la siguiente etapa de la fórmula: la fase social".

La fase social

Señalé esta sección del diagrama y comenté: "Esta próxima fase en la construcción de relaciones, según nuestro código tácito, tiene que ver con la inclusión de cada integrante de la pareja en el círculo social del otro. Conocen a la familia y a amigos íntimos del otro".

Alguien murmuró espontáneamente: "¡Ay, Señor!". Una risa general brotó instantáneamente. Reconocían las señales de peligro.

Cuando hubo silencio, seguí adelante: "Tienen razón. En este entorno, la pareja típicamente recibe cálida aprobación o serias advertencias de las personas en sus respectivos círculos. A veces, toman en cuenta las advertencias; pero, por lo general la pareja sigue adelante sin importarle el tipo de señales que reciba de los demás. Después de todo, nada ofrece una mejor guía en cuanto a lo 'correcto' de la relación que lo que siente el uno por el otro". Los oyentes asentían con su cabeza.

La fase psicológica

"Pero aproximadamente al mismo tiempo", continué, "la pareja también empieza a entrar en una fase que realmente no puede controlar pero que afecta la relación: la fase psicológica". Expliqué que durante esta fase, las presiones de la vida y la variedad de experiencias creadas por los aspectos físicos, emocionales y sociales de la relación crean ciertas preguntas y necesidades en la relación. Llega el momento de hablar del futuro y de explorar en detalle la personalidad y los valores del otro. No importa lo cuidadosamente que cada uno haya vigilado su carácter y su personalidad durante las fases iniciales de la relación, el tiempo y la intimidad permiten que de vez en cuando cada

> No importa lo cuidadosamente que cada uno haya vigilado su carácter y su personalidad durante las fases iniciales de la relación, el tiempo y la intimidad permiten que de vez en cuando cada uno vea al otro como una persona "real".

uno vea al otro como una persona "real". Las fallas y los posibles problemas comienzan a revelarse. Se pone de manifiesto la naturaleza frágil de la relación. No hace falta mucho para que la relación, balanceada en un punto tan pequeño de atracción física, se desequilibre y se desintegre. La posibilidad del desastre impulsa a la pareja a considerar alternativas.

Si las cosas siguen el patrón normal, uno o ambos de los integrantes de la pareja comienzan a anhelar un sentido de permanencia y exclusividad en la relación. Juntarse durante un período de prueba indefinido prácticamente se ha vuelto la norma hoy en día, pero nada reemplaza al deseo de casarse que surge de ese anhelo interior por la seguridad que da el pertenecer a otro de por vida. Sospecho que la popularidad de los casamientos extravagantes es un intento más por crear rápida y espectacularmente lo que en realidad sólo se puede lograr con seriedad y tiempo. Este deseo de casarse y marcar el evento con toda la ceremonia tradicional nos lleva al paso final del ciclo de la relación: la fase espiritual.

Mientras caminaba hacia el tablero para escribir el nombre del paso final de la típica evolución de las relaciones, me pareció que tenía la atención completa del grupo. La mayor parte indicaba su acuerdo en cada punto con la cabeza. Muchos se miraron al darse cuenta de que la sala estaba llena de gente que tenía algo más que el divorcio en común, la mayoría habían seguido los mismos pasos para llegar hasta ahí. Este sufrimiento compartido creó un nuevo sentido de camaradería. Comenzaron a reírse de algunas de las historias que conté acerca de mi propia vida y de lo que había aprendido que ilustraban tanto las trampas incorporadas en la fórmula de Hollywood. Algunos hasta expresaban su identificación con algunos de los errores que yo había cometido, articulando palabras como: "yo también hice eso".

La fase espiritual

Escribí la palabra "espiritual" en la parte superior del diagrama, en su punto más ancho y dije: "Cuando la pareja llega al punto de anhelar que la relación perdure, o de temer que se podría terminar si no hace algo para darle estabilidad a largo plazo, entra en una fase que llamaremos 'espiritual'. Señalé que hasta aquellos que tienen poco trasfondo religioso y no pretenden seguir a Cristo parecen saber instintivamente que están por participar en una especie de momento sagrado. Quieren que un sacerdote, un pastor o un rabino confirmen su unión y les dé su bendición. Para algunos, la ceremonia civil es suficiente. Una hermosa iglesia adornada con velas y flores, y una ceremonia llena de palabras solemnes pronunciadas ante amigos y familiares crea un barniz religioso que declara al mundo que esta relación durará para siempre.

Los oyentes menearon la cabeza. Sabían que no era así. Entendían que detrás de toda la extravagancia de muchas bodas se esconde la triste verdad de que la pareja que está ante el altar ya tiene problemas relacionales. Muchos de ellos se dieron cuenta de que su boda había sido un intento inconsciente, de último momento, por salvar una relación que ya se estaba muriendo. No habían podido manejar la complejidad que poco a poco sofocaba ese despreocupado momento inicial del "enamoramiento".

Yo sabía que los próximos momentos eran clave. Admitámoslo, les dije, "la mayor parte de nosotros ha intentado encontrar *amor*, *sexo* y *relaciones duraderas* siguiendo los pasos que acabo de describir. Muchos de nosotros hemos descubierto que la fórmula no funciona. El dolor y las desilusiones repetidas casi nos han convencido que esta fórmula no brinda lo que deseamos".

"Ahora me doy cuenta que algunos de ustedes han intentado escapar del sistema evitándolo por completo. Desean separarse del mundo para no sufrir heridas nuevas. Su lema es: 'Jamás volveré a enamorarme', o, 'adiós al amor' ". Hubo algunas sonrisas forzadas. "Otros han tratado de guardar la parte del 'enamoramiento' y han eliminado todo lo demás". Dejé que ese pensamiento penetrara por un momento y luego pregunté: "¿Funciona?".

Un coro instantáneo de respuestas en voz baja llegó hasta mis oídos: "¡No!".

Continué: "Mientras comienzo a explicar la verdadera alternativa, piensen en esto: a lo mejor el problema no consiste en las partes del proceso que acabamos de describir, sino en el hecho de que están totalmente trastocadas".

Me dirigí hacia otro tablero blanco y escribí: La fórmula de Hollywood. Encaré a los oyentes y dije: "He llamado a lo que estoy por compartir la fórmula de Hollywood porque creo que lo que hemos llegado a creer acerca de la manera en la cual buscamos *amor, sexo* y *relaciones duraderas* ha sido formado y alentado por los medios de comunicación. Les pregunté anteriormente dónde habían aprendido cómo formar relaciones de la manera que ustedes lo hacen. La mayor parte de ustedes realmente no lo sabía. Estoy por sugerir una fórmula que les va a mostrar exactamente dónde aprendieron acerca del amor".

Rápidamente esbocé las mismas reglas tácitas que leíste en el capítulo 1. Les dije: "Esta es la fórmula que creemos, sin cuestionar, que si la aplicamos a nuestra vida, nos conducirá al *amor*, al *sexo* y a las *relaciones duraderas*".

1. Encontrar la persona correcta.
2. Enamorarse.
3. Fijar todas las esperanzas y los sueños en esa persona.
4. Si se fracasa, repetir los pasos 1, 2 y 3.

Sabía que me estaban siguiendo. También me daba cuenta de su dolor y desesperación cada vez mayores. Ahora era fácil leer sus rostros. Sus ojos y su postura me decían: *Sí; ésta es la manera en la cual siempre me he comportado, y es cierto que no funciona. Pero si hay otra forma distinta y mejor, ¡dígamelo ahora porque no creo que pueda sobrevivir ese ciclo ni una sola vez más!*

Ahora éramos sencillamente un grupo de peregrinos quebrantados que había llegado a un acuerdo común. Se habían acabado las fórmulas glamorosas y artificiales del amor propagadas por la pantalla. Los oyentes estaban listos para tomar en serio una mejor manera de construir relaciones. Estaban abiertos a oír una receta divina, cuyo seguimiento fiel produciría resultados exactamente opuestos a los que habían experimentado en su búsqueda de *amor, sexo* y *relaciones duraderas.*

La receta de Dios para relaciones duraderas

Pasé al tercer tablero blanco y escribí: "La receta de Dios para relaciones duraderas". Di media vuelta y me dirigí hacia donde estaba sentada Theresa, en el extremo de la primera fila. Sus palabras de aliento habían despertado la esperanza de los oyentes.

Señalando el tercer tablero con una mano, mientras colocaba la otra mano en el hombro de Theresa, dije: "Lo que Teresa y yo descubrimos, hacia el comienzo de nuestra relación, es que Dios nos ha dado un orden distinto para estos pasos. La primera manera de verlo es invirtiendo el diagrama triangular que copiaron hace unos minutos. La lección es la siguiente: la receta de Dios para las relaciones es precisamente lo opuesto de la fórmula de Hollywood. Tiene un punto de partida distinto; tiene un enfoque distinto, y sigue un camino distinto. Créanme, ¡logra resultados marcadamente distintos!".

Nuevamente frente al tercer tablero, volví a dibujar el triángulo, de la siguiente manera:

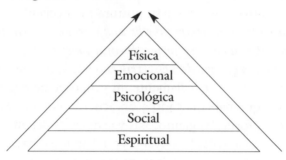

Durante los próximos treinta minutos expliqué un método revolucionario para hallar, desarrollar y mantener una relación duradera. Compartí con el grupo cuánto desea Dios esto para cada uno de nosotros, y que la cooperación con su diseño es la única manera verdadera de hallar lo que cada uno de nosotros busca toda la vida. Les recordé que el problema no consiste en las partes de la fórmula, que la mayor parte de nosotros sigue para desarrollar las relaciones; el problema tiene que ver con el hecho de tenerlas completamente en desorden.

El método revolucionario empieza estableciendo el hecho de que un componente espiritual es la única base lo suficientemente ancha y fuerte como para mantener el resto de la relación. Este componente espiritual incluye un entendimiento claro de toda la receta de Dios para el *amor*, el *sexo* y las *relaciones duraderas*. También les recordé varias veces (después de la segunda o tercera vez, comenzaron a reírse cada vez que lo mencionaba) que yo había prometido no "presionarlos" ni "predicarles". El lugar donde hay que buscar para entender lo que Dios dice acerca de cual-

> La receta de Dios para las relaciones es precisamente lo opuesto de la fórmula de Hollywood.

quier tema es la Biblia. Les pregunté: "¿Me permitirían sencillamente compartir una declaración de la Biblia que nos ayudará
a comenzar a entender la receta de Dios?". Un buen número
indicó que sí, de modo que continué: "Efesios 5:1, 2 proporciona uno de los resúmenes más claros del revolucionario enfoque relacional que Dios desea que utilicemos al amar a otros.
Estas palabras describen en más maneras de las que puedo
mencionar en el tiempo que tenemos esta noche, la receta que
Dios aplicó a la vida de Theresa, a mi vida y a nuestro matrimonio para que fueran completamente distintas de lo que
nuestros pasados disfuncionales y dolorosos fácilmente podrían haber creado. ¡Me gusta llamarla 'receta' porque incluye
mucha sanidad, así como mucha salud y gran bienestar!".

Las cabezas asentían mientras este grupo de peregrinos
heridos, compuesto tanto por creyentes como por no creyentes,
esperaba oír la receta de Dios para las relaciones duraderas.
Quisiera compartir contigo lo que compartí con ellos, y muchos
otros como ellos, comenzando en el próximo capítulo.

Sin embargo, antes de continuar, quisiera que evaluaras tu
vida y tu historia relacional. Toma varios minutos para considerar las siguientes preguntas.

 Evaluación personal

1. ¿Qué emociones surgieron cuando leíste este capítulo?

2. ¿De qué relaciones anteriores te acordaste que ilustraron alguno de los puntos presentados? ¿Qué sientes acerca de estas relaciones cuando piensas en esa época de tu vida?

3. ¿Hasta qué punto refleja la receta de Hollywood la manera en la cual has construido tus propias relaciones?

4. ¿Cuánto éxito ha tenido tu enfoque en desarrollar y mantener relaciones sanas a largo plazo que incluyan todas las áreas de la intimidad: espiritual, emocional y física?

3

La receta de Dios para las relaciones duraderas

A lo mejor te estás preguntando, al igual que algunas de las personas del grupo de recuperación del divorcio, si estas verdades bíblicas son pertinentes para ti. La gente del grupo de recuperación del divorcio necesitaba encontrar la esperanza de que sus vidas y sus relaciones pudieran cambiar, y que podían hacerlo en forma positiva. Quiero ofrecerte la misma esperanza a ti. En las próximas páginas, junto al bosquejo de la fórmula de Hollywood, hallarás los cuatro componentes de la receta de Dios para las relaciones duraderas que compartí con el grupo aquella noche. Aunque al principio no entiendas los términos que uso, quiero que veas el contraste entre los enfoques.

No te preocupes por ahora si las comparaciones te confun-

den un poco. Todavía me falta explicar cada uno de los pasos
de la receta de Dios, como lo hice con el esquema de Hollywood. El tener estos cuatro pasos en mente al examinar la
Palabra de Dios te ayudará a identificar las diferencias entre el
camino del amor de Dios y la búsqueda de amor por parte del
mundo.

Se puede encontrar la receta de Dios para las relaciones a
lo largo de toda la Biblia, pero creo que los dos versículos
siguientes la resumen bien:

> Por tanto, sed imitadores de Dios como hijos amados, y
> andad en amor, como Cristo también nos amó y se entregó
> a sí mismo por nosotros como ofrenda y sacrificio en olor
> fragante a Dios.
>
> Efesios 5:1, 2

Cuando leíste los versículos, ¿notaste palabras o frases con
conexiones obvias con los componentes de la receta de Dios
para las relaciones? A lo mejor te diste cuenta que estos versículos son la fuente de la frase "andar en amor". Las otras
conexiones entre estos versículos y la receta de Dios no son tan
obvias, pero creo que las verás a medida que avancemos.

La fórmula de Hollywood para las relaciones	La fórmula de Dios para las relaciones
1. **Encontrar** la persona correcta.	1. **Convertirse** en la persona correcta.
2. **Enamorarse**.	2. **Andar** en amor.
3. **Fijar** las esperanzas y los sueños en esa persona para la realización futura.	3. **Fijar** la esperanza en Dios y tratar de complacerlo en esta relación.
4. Ante el **fracaso**, repetir los pasos 1, 2 y 3.	4. Ante el **fracaso**, repetir los pasos 1, 2 y 3.

El contexto de la receta de Dios

Estos dos versículos constituyen una exposición clave de la receta de Dios en acción, pero para apreciar lo que nos dicen, hay que saber lo que les precede. Efesios es un libro que nos habla acerca de cómo vivir la milagrosa vida nueva en Cristo. Los primeros tres capítulos hablan acerca de lo que pasa cuando el Espíritu de Dios entra en el corazón, la vida y el alma de un ser humano. Describen lo que pasa cuando reconocemos nuestra necesidad de Dios y nos volvemos a Cristo. Explican cómo la muerte de Cristo es suficiente para saldar nuestra deuda con Dios. Nos recuerdan que cuando el Espíritu de Dios entra en nosotros, somos redimidos y perdonados; y nuestro pasado queda atrás.

Esos primeros capítulos de Efesios describen exactamente lo que pasó, en mi vida y en la vida de Theresa, que nos cambió completamente y cambió nuestra manera de encarar las relaciones. Efesios 1C3 representa la receta divina para los cambios y la sanidad más personales que Dios desea efectuar en nuestra vida. La primera mitad de la carta a los Efesios presenta los elementos básicos de nuestra relación con Dios.

En este capítulo veremos la parte de la receta de Dios que describe los efectos secundarios positivos que ocurren cuando Dios obra en nosotros. Mientras tanto, si estos conceptos te intrigan, recomiendo que leas mi libro *Holy Transformation* (*Transformación santa*, Moody Press), que explica este proceso de cambio radical que Dios desea efectuar en nuestra vida.

En la receta de Dios para las relaciones, comenzamos con lo que él hace en nuestra vida. Cuando Dios establece una relación personal con nosotros, su Espíritu nos sella y nos adopta dándonos una vida nueva, centrada en Cristo. Después de enseñarnos acerca de lo que recibimos en esta vida nueva

con Cristo, el autor de los Efesios describe cómo debemos relacionarnos en amor. Se nos indica que dependamos de un poder
espiritual que nunca antes hemos tenido:
cuando hablamos, cuando trabajamos, cuando nos relacionamos y crecemos en nuestro
amor por Dios y por los demás.

> **Cuando Dios establece una relación personal con nosotros, su Espíritu nos sella y nos adopta dándonos una vida nueva, centrada en Cristo.**

Los cuatro pasos de la receta de Dios

Para ver los cuatro pasos de la receta de
Dios para el *amor*, el *sexo* y las *relaciones duraderas* expresados aquí, vuelve a examinar
detenidamente estos versículos. Nota que dos
mandamientos claros indican el núcleo de
amar a los demás de la manera que Dios lo
hace. A continuación, aparecen los versícu-
los nuevamente con algunas anotaciones que explicaré a lo
largo de este capítulo.

> [Por tanto], <u>sed imitadores de Dios</u> (como hijos amados),
> y <u>andad en amor</u>, (como Cristo también nos amó y se
> entregó a sí mismo por nosotros) {como ofrenda} y {sacri-
> ficio en olor fragante a Dios}.
>
> Efesios 5:1, 2

He subrayado las frases *sed imitadores de Dios* y *andad en
amor* porque éstos son los mandamientos. El verbo *sed* implica un mandamiento, el de convertirse en o demostrar que se
poseen ciertas características. Cuando se trata de la receta de
Dios para la manera en que tú y yo debemos vivir y amar, no
hay duda. Dios desea que *seamos* cierto tipo de personas: sus
imitadores. Es el primer mandamiento que se encuentra en

estos dos versículos. Eso nos lleva al paso 1 de la receta de Dios para tener relaciones duraderas.

Paso 1: En lugar de buscar la persona correcta, conviértete en la persona correcta

El primer mandamiento en Efesios 5 nos dice que seamos imitadores de Dios, reflejando la manera en la cual él nos ama. Nuestro amor por los demás fluye de nuestra seguridad de ser amados profundamente. En lugar de una búsqueda constante de la persona correcta, Dios nos dice que nos *convirtamos* en la persona correcta. En lugar de buscar amor, ¡Dios dice que nos demos cuenta de que el amor ya nos ha encontrado a nosotros! Dios nos ama como nadie. La mejor manera de demostrar que hemos entendido y aceptado el amor de Dios es aprender a imitarlo lo más fielmente posible en la manera de tratar a los demás.

Entonces, ¿cómo se imita a Dios? El último versículo de Efesios 4 contesta esa pregunta.

> Más bien, sed bondadosos y misericordiosos los unos con los otros, perdonándoos unos a otros, como Dios también os perdonó a vosotros en Cristo.
>
> Efesios 4:32

En la Biblia, vocablos como "por tanto" o "pero" son palabras que unen y hacen fluir las ideas. Nos recuerdan que debemos considerar lo que se dijo antes. En Efesios 5, básicamente significa "a la luz de lo que ya se ha dicho, *por tanto* sean imitadores y anden en amor". También significa que el contenido de los versículos anteriores informa y controla los mandamientos que estamos por recibir. Imitar a Dios significa que en las relaciones debemos ser amables y tiernos, sentir empatía, tener discernimiento, estar dispuestos a entender los errores ajenos y perdonar constantemente. Significa que deseamos lo mejor para los demás. Nos mostraremos amables con los demás aun cuando ellos no suplan nuestras necesidades o cuando estemos enojados. Entonces volvemos al principio y los perdonamos. Hacemos borrón y cuenta nueva. ¿Por qué? ¿Porque somos superestrellas o gigantes espirituales? No, los perdonamos porque nos damos cuenta de que debemos dar a otros lo que Dios nos ha dado a nosotros. Nosotros que hemos sido libremente perdonados también debemos perdonar libremente. Así es como imitamos a Dios.

Una vez identificado el mandamiento (*sed imitadores de Dios*), es esencial buscar toda la información adicional acerca de éste mandamiento que podamos encontrar en los versículos. Lo que nos motiva a imitar a Dios está enfatizado y explicado por la frase *como hijos amados*. Puse esas palabras en paréntesis para indicar que la frase funciona como modificadora del verbo. En otras palabras, la manera en la cual imitamos a Dios se verá afectada o modificada al entender que somos hijos muy amados de Dios. Dios no nos ama por algo que hayamos hecho. Dios se preocupa por nosotros, Dios se deleita en nosotros, Dios está a favor nuestro porque es su naturaleza. En las palabras de Romanos 8:32: "El que no eximió ni a su propio Hijo, sino que lo entregó por todos nosotros, ¿cómo no nos dará gratuitamente también con él todas las cosas?". Cuando la Biblia habla del amor, describe una actitud hacia los demás que no tiene nada que ver con la química. La Palabra de Dios no descarta los sentimientos, pero define el amor claramente como algo mucho más relacionado con el carácter y la acción que con los sentimientos. En otras palabras, el amor genuino nos impulsa a hacer cosas que pueden entrañar poco y nada de sentimiento. En última instancia, Jesús no permitió ser clavado en una cruz porque eso le hiciera sentir bien. Podemos pasar toda la vida descubriendo la verdad detrás del sencillo pensamiento de 1 Juan 4:19: "Nosotros amamos, porque él nos amó primero".

No obstante, el problema es que no es fácil amar. Tú y yo sencillamente no tenemos el poder de perdonar y ser buenos siempre. Nuestro amor, nuestra fuerza, nuestra voluntad y nuestro entendimiento no llegan tan lejos. No tenemos el poder de amar de este modo a menos que estemos tan llenos del amor de Dios que reconozcamos que nuestras necesidades más profundas han sido satisfechas, y ya no pretendemos que otro ser humano "complete" estas necesidades profundas.

Básicamente, no podremos imitar a Dios en nuestro amor por los demás a menos que sepamos que somos bendecidos, valiosos y significativos; que somos amados. Nuestro sentimiento de ser amados no debe depender de que esta persona guste de nosotros o que aquella persona cumpla con nosotros. No es que tú y yo estemos "bien". En Cristo, somos maravillosos, importantes, valiosos, entrañablemente amados, objetos del afecto infinito e incondicional de Dios. El Dios que nos hizo y que nos ama nos dice que vivamos y amemos como él nos ve y como él nos ama. Por eso la idea de que una gran relación depende de encontrar la persona correcta es una mentira. La clave para desarrollar una gran relación es *convertirse* en la persona correcta.

> En Cristo, somos maravillosos, importantes, valiosos, entrañablemente amados, objetos del afecto infinito e incondicional de Dios.

Sólo cuando entendemos que el amor de Dios por nosotros es infinito tenemos la capacidad de dar genuinamente en una relación. Sin eso, ¿qué hacemos? Tratamos de conseguir aprobación. Tratamos de producir. Tratamos de ganar afecto. Tratamos de manipular para lograr lo que queremos.

Les y Leslie Parrott ilustran este punto de manera brillante en su libro *Relationships (Relaciones)*. Ellos enseñan (en una universidad de los Estados Unidos de América) la materia que se llama Relaciones 101. Es una materia optativa, pero la voz se ha corrido y todos los que asisten a esa universidad se inscriben en el curso. El primer día dicen a los estudiantes: "La única nota en esta clase es aprobado o reprobado. No tienen que tomar apuntes. Pero si quieren aprender acerca de las relaciones, hay una oración que queremos que anoten. Afectará todas las relaciones que tengan. Sea cual fuere la medida en que entiendan esta oración y la apliquen, transformará todas sus relaciones. Pero si no entienden o no están dispuestos a hacer lo que dice esta oración, todas sus relaciones serán disfuncionales". Una vez captada la atención de 250 estudiantes, hacen la siguiente declaración: **"Si tratan de construir intimidad con alguien antes de haber realizado el arduo trabajo de convertirse en personas enteras y sanas, cada relación será un intento por llenar el hueco en el corazón y completar lo que les falta. Esa relación terminará siendo un desastre"**[1].

Permíteme parafrasear el enunciado de los Parrott. Si deseas construir intimidad con alguien antes de lograr tu plena identidad en Cristo, y antes de conocer y sentirte seguro y fuerte en él, esperarás que esa persona haga algo por ti que no es capaz de hacer. En otras palabras, cuando tu identidad está en Cristo, no necesitas a los demás de la misma manera, no estás obligado a producir y ellos no tienen que cumplir para que tus necesidades sean satisfechas.

El mundo dice: *Fija tu esperanza en que esta persona cumpla contigo. Haz de esta persona el centro de tu existencia.*

Eso no funciona. El problema es que esa persona es débil, imperfecta y está necesitada, igual que tú y que yo. Esa persona va a fallar, ¿verdad? Duele, ¿y qué hacemos? Nos desquitamos, manipulamos, culpamos. Puesto que el mundo nos enseña que esperemos de los demás lo que sólo Dios nos puede dar, no podemos apreciar las maravillas reales (aunque limitadas) del amor humano.

La clave de las relaciones duraderas es desarrollar una relación personal con Dios por medio de Cristo que dé la seguridad de quién soy en él. Esto me permite ser dador y amar de verdad. Si no se llega a este punto (y hay que trabajar duro para entender la identidad en Cristo), todas las relaciones se verán limitadas. ¿Cómo se llega a ese punto? Los primeros tres capítulos de Efesios detallan el proceso. A menos que se establezca una identidad firme en Cristo, cada relación será un intento por conseguir algo de la otra persona que le haga sentir bien a uno mismo. Algunos de nosotros manipularemos, algunos nos volveremos demasiado dependientes, pero todos produciremos relaciones disfuncionales.

Paso 2: *En lugar de enamorarte*, anda *en amor*

Si vuelves a leer Efesios 5:1, 2, verás que agregué paréntesis alrededor de la frase *como Cristo también nos amó y se dio a sí mismo por nosotros*. Esta frase explica cómo funciona la frase *andar en amor*. *Andar en amor* significa algo mucho más profundo que hacer largas caminatas en la playa o caminar tomados de la mano. De hecho, andar en amor significa que amamos a los demás *exactamente como Cristo nos amó a nosotros*. ¿Cómo nos amó Cristo? La frase da la respuesta: *se dio a sí mismo*. La aplicación más profunda es la siguiente: andar en amor tiene que ver con un compromiso sacrificial.

La siguiente definición de lo que significa andar en amor me ayuda a mí y es la clave de mi relación con Theresa: andar en amor significa dar a la otra persona lo que más necesita cuando menos lo merece, porque ésa es exactamente la manera en que Dios me ha tratado a mí. Eso es amor genuino. Amar es dar a la otra persona de la relación lo que ella más necesita, no necesariamente lo que más desee. Hubo muchas veces en mi matrimonio, con mis hijos y en mis grandes amistades que, por la gracia de Dios, di lo que los otros necesitaban, no necesariamente lo que querían. Cuando les di lo que verdaderamente necesitaban, se enojaron. Les di corrección a mis hijos y no les gustó en el momento. He sido sincero con Theresa en ocasiones en las cuales la deshonestidad hubiera evitado una discusión, y eso ha creado momentos incómodos.

> **El amor que camina es un amor centrado en el otro.**

Es importante entender que el principio funciona en ambos sentidos. Ha habido personas que me han dado lo que yo necesitaba en lugar de lo que quería y me he enojado mucho con ellas. Cuando yo había decidido sobre temas tan variados como cuál automóvil o casa comprar o cómo aconsejar a nuestros hijos acerca de sus carreras universitarias, Theresa me hizo la única pregunta que yo no quería oír pero que debía considerar. No me gustó. Algunas veces he tomado apresuradamente decisiones acerca de la dirección de la iglesia, las mismas que han sido cuestionadas por personas cuyo afecto me consta. Aunque parte de mí sabía que sus preguntas surgían de su amor por mí, no me gustó que me cuestionaran. Sufrí heridas y algo de vergüenza por la desilusión. En esos momentos la vida no se parecía para nada a Hollywood. Después maduré un poco. Ahora sé que estaban satisfaciendo mis necesidades genuinas, mientras quería que se satisfagan aquellas necesidades que yo sentía debían ser satisfechas.

El amor es una acción sacrificial, centrada en el otro, que proporciona lo mejor para la otra persona. El camino de Dios es muy difícil para los sentimientos, pero es muy sano para el alma. Obra maravillas en las relaciones donde ambas partes hallan su identidad final en Cristo.

Por eso, el segundo paso en el plan de Dios para las relaciones entraña amor genuino. Dios no nos dice que nos *enamoremos*, sino que *andemos* en amor. El amor genuino no es una masa estremecida y pasiva de buenos sentimientos; el amor genuino es una renuncia deliberada, intencional, honesta y hasta dolorosa a la auto preservación en bien de la otra persona. El amor que camina es un amor centrado en el otro. Dice: "voy a darte lo que necesitas", y lo pone en práctica; sin manipulaciones, sin jueguitos, sin ejercicios de poder. Es interesante que cuando amamos de este modo avivamos las llamas del romance y de esos sentimientos buenos que todos anhelamos disfrutar. Cuando tomamos los primeros dos pasos del plan de Dios conscientemente, esto nos llevan directamente al paso 3.

Paso 3: En lugar de fijar tus esperanzas y sueños en otra persona, fija tu esperanza en Dios *y procura complacerle a través de esta relación*

Como ya hemos dicho, cuando se trata del matrimonio, la fórmula de Hollywood está trágicamente equivocada. En la versión de Hollywood de una boda, la pareja está cara a cara ante un grupo de amigos. Con frecuencia se filman estas ceremonias en lugares que parecen sitios de adoración, aunque rara vez haya un reconocimiento real de Dios en el evento. Básicamente, la pareja declara: "Tú eres la persona más importante de mi vida. Tú me complementas. Tú eres mi pareja perfecta, la respuesta a todos mis sueños".

En una boda que honra la presencia y el rol de Dios, las personas también están cara a cara, recibiendo la bendición de Dios y reconociendo que esperan que Dios les ayude a cumplir las promesas que se hacen. Pero la opinión de cada uno sobre el otro podría expresarse de la siguiente manera: "Tú *no* eres la persona más importante de mi vida, Cristo lo es. Y porque Cristo es la persona más importante de mi vida, voy a tratarte mejor de lo que podría hacerlo si tú fueras la persona más importante de mi vida. Cristo me ayudará a amarte más de lo que yo podría amarte jamás con mis propias fuerzas".

Puse corchetes alrededor de las palabras *como ofrenda* y *sacrificio en olor fragante* porque tienen que ver con el servicio y la devoción abnegada. Jesús no hizo algo primordialmente porque nos complacería; hizo algo que complacía a Dios. Sé que lo que estoy por decir suena a herejía, pero la meta de nuestras relaciones no es asegurarnos de que todo salga como queremos o que nos haga más felices. La meta es complacer a Dios. Lo mejor que el mundo puede ofrecer como modelo de matrimonio entraña a dos personas que procuran complacerse diligentemente. La receta de Dios crea una perspectiva emocionante en la cual dos personas aprenden a complacer a una tercera: Dios; y lo hacen a través de la manera cómo ellos responden a él y el uno al otro.

> La receta de Dios crea una perspectiva emocionante en la cual dos personas aprenden a complacer a una tercera: Dios; y lo hacen a través de la manera cómo ellos responden a él y el uno al otro.

Quiero poner esto muy en claro. Cuando tomamos el otro camino y hacemos de nuestra realización personal la meta de cada relación, jamás funciona. Suponemos erróneamente que el problema reside en la otra persona, de modo que salimos a buscar otra. Vemos manifestaciones extremas de esta conducta en muchos de los programas de televisión que se multiplican día a día (llamados *Reality Show*, "Realidad"). En éstos solteros o solteras en entornos altamente artificiales ponen a prueba a una docena o más de personas. ¿Hasta dónde llegarán los competidores para conquistar la atención de la figura central, que reparte rosas o joyas a los que "aprueban"? Pensamos con envidia lo bien que me sentiría de tener toda una multitud compitiendo por nuestro favor. Pero esto no es real. El final de cuento de hadas prometido siempre se desvanece. Estos programas revelan y juegan con nuestros deseos egoístas. ¿Cómo rompemos este ciclo egoísta inculcado en nuestra vida? ¿Cómo tratamos estos deseos narcisistas y nuestra necesidad personal de ocupar el centro del escenario? ¿Cómo dejamos de esperar que el mundo gire a nuestro alrededor?

La respuesta entraña un enfoque completamente diferente. En lugar de tratar de averiguar las fallas de la otra persona, en lugar de esperar que el otro se ajuste siempre a nuestras necesidades, debemos pedirle a Dios que nos convierta en lo que él desea que seamos y que nos ayude a andar en amor, dando sacrificialmente lo que la otra persona necesita. En mi caso, significa que mis esperanzas no pueden estar fijadas en el afecto que me demuestre mi esposa. Significa aceptar que no todo va a salir fantástico y como yo quisiera todo el tiempo. A veces la vida es muy difícil y dista mucho de estar llena de buenos sentimientos. Tú y yo debemos estar dispuestos a soportar el dolor y atravesar los tiempos duros. Mientras vivamos con este engaño que pretende que la otra persona cumpla todas nuestras expectativas, estamos condenados a la desilusión. Las grandes relaciones entrañan luchas, conflictos, trabajo y negarse a exigir, consciente o inconscientemente; que la otra persona haga funcionar nuestra vida. El resultado es un gran crecimiento personal y salud relacional.

Dios te invita a una vida de amor pensante y sacrificial en tus relaciones. Será el desafío más grande que hayas aceptado. Pero permíteme agregar una buena noticia. El producto secundario del enfoque de Dios en las relaciones es justamente el tipo de intimidad, amor, sexo y compañerismo duradero que tú y yo siempre hemos deseado.

Para que no creamos que hemos encontrado un plan sencillo que sólo requiere conectar los puntos o que produce un milagro instantáneo, debemos entender que la receta de Dios para las relaciones, al igual que la inferior fórmula de Hollywood, también tiene un cuarto paso. ¿Por qué? Porque Dios nos entiende perfectamente.

Paso 4: Ante el fracaso, repite los pasos 1, 2 y 3

Es interesante que el cuarto paso de la fórmula de Hollywood y de la receta de Dios son idénticos, pero por razones fundamentalmente distintas. Ambos pasos reconocen una característica inevitable de las relaciones humanas: el fracaso. Aunque estemos plenamente convencidos de la verdad del camino de Dios, ¿crees que podremos seguir estos pasos perfectamente de ahora en adelante?, por supuesto que no. Cuando se trata del fracaso en una relación, la verdadera cuestión no es *si* va a ocurrir sino *cuándo* va a ocurrir.

Si estás casado, la persona que falla no es necesariamente tu pareja. Si eres varón, la persona que ves en el espejo cuando te afeitas es el candidato ideal. Si eres mujer, el rostro que ves cuando te maquillas puede pertenecer a la persona que fracasa. Tal vez haya momentos en los que pienses: *Me parece que esta relación no tiene remedio. Estoy desilusionado. Me cuesta mucho*. La receta de Dios no dice que no se puedan sentir esas emociones de vez en cuando. Pero no permite que llegues a la siguiente conclusión: *Tal vez tenga la persona equivocada.* Si no se desafían y no se destruyen esas pequeñas dudas, éstas comienzan a socavar el compromiso. Cuando otra persona te trata un poco mejor, existe la tentación de sacar conclusiones comparativas: *¡Me trata mucho mejor que mi propia pareja!* Y comienzas a pensar que ella es bastante atractiva o que él realmente te entiende, a diferencia de tu propio cónyuge. Entonces la fórmula de Hollywood se activa. Ni siquiera te das cuenta de ello. De repente, estás buscando a alguien nuevo. ¿Es éste un buen plan y un buen camino? No. Lo único que lograrás es arruinar dos hogares, crear cicatrices permanentes en los niños, vivir todo tipo de problema y terminar con más carga que antes. Tal vez parezcan resultados extremos, pero son demasiado conocidos para un gran segmento de nuestra sociedad actual.

Esta secuencia de acontecimientos no tiene por qué ser tu experiencia ni el final del camino para ti. En lugar de ello, puedes aplastar esas mentiras mientras son pequeñas. Puedes mirar en el espejo mientras te pones el maquillaje o la crema de afeitar y decir: *Veamos, hay un problema en esta relación y no me siento muy realizado. De hecho, estoy realmente furioso y ella también. Y ese sofá es demasiado duro para pasar la noche. ¿Soy el hombre o la mujer que deseas que sea, Señor Jesús? ¿Estoy andando en amor? ¿Qué quisieras hacer en mí, aunque mi pareja no cambie, para imitarte y para andar en amor para que esta relación pueda complacerte?*

¿Entiendes la diferencia radical de este enfoque? ¿Entiendes que el mirarte en el espejo desvía el enfoque de la tendencia natural a culpar al compañero y lo pone en lo que tú puedes hacer para mejorar las cosas? La verdad es que culpar al compañero o tratar de conseguir que cambie generalmente es contraproducente. Por otra parte, ¿cuánto control tenemos sobre el cambio en la persona que está en el espejo? El ciento por ciento. ¿Cuánta responsabilidad tenemos por nuestras acciones y nuestras decisiones? El ciento por ciento. ¿Cuánto gana nuestra relación cuando intentamos manipular al compañero o convertirlo en otro tipo de persona? No mucho. Éste se convierte en uno de los momentos cuando enfrentamos el fracaso con calma y honestidad. Entra en juego el paso 4 de la receta. **Dios nos dice que comencemos de nuevo con el paso 1, que elijamos convertirnos en la persona correcta.** Ése debe ser nuestro enfoque. Pasamos por las etapas: imitar a Dios, andar en amor, fijar nuestra esperanza en Dios e intentar complacerlo en cada una de nuestras relaciones. Si fracasamos de nuevo (y lo haremos), volvemos al principio y pasamos por las etapas de nuevo.

A lo mejor estés pensando lo siguiente: *Debo poner en orden mi propia relación con Dios antes de empezar a tratar el desastre de mi vida.* Busca a alguien que pueda ayudarte con eso. Una y otra vez he oído decir a la gente: "Ojalá hubiera conocido la receta de Dios hace 20 años". Otros dicen: "Tengo hijos que necesitan entender esto. Piensan que van a amar mejor que yo, pero ahora sé que están siguiendo el mismo esquema sin salida. Quiero decirles que pueden hacer las cosas mejor que yo, ¡pero tendrán que hacerlo de otro modo!". Aunque a Theresa y a mí no nos guste mucho recordar algunos acontecimientos difíciles de nuestro pasado, cuando vemos que la gente puede entender por qué tanto de nuestra cultura se ha desviado a un desierto de relaciones y corazones destrozados, vale la pena volver a vivir el dolor de nuestra vida.

Mis años de enseñanza en talleres sobre recuperación del divorcio me expusieron a cientos de personas en crisis relacionales de todo tipo. He llegado a la conclusión, viendo a los que más han sufrido, que la fórmula de Hollywood parece tener nuestra cultura tomada por el cuello. Si no estuviera convencido de que la receta de Dios es válida independientemente de lo que ocurra en nuestra cultura, estaría tentado a darme por vencido. Pero cuando veo que mis hijos viven esta receta, y que sus matrimonios y sus vidas florecen, sé que estoy participando en algo que vale la pena. Cientos de matrimonios se han salvado porque se han construido o vuelto a construir usando la receta de Dios, lo cual nos trae de vuelta a este libro y a la razón por la cual estoy compartiendo este mensaje contigo. Espero que veas las diferencias radicales entre la fórmula de Hollywood y la receta de Dios para las relaciones en el marco de tu propia vida. Si reconoces esas diferencias, podrás evitar muchos de los errores cometidos por la gente que te rodea.

Unas pocas palabras de precaución

Sé que las personas que leerán estas páginas se parecerán de muchas maneras a los participantes de nuestro programa de recuperación del divorcio. Lo que hemos visto y oído en nuestras sesiones sencillamente refleja la cultura en general. La incidencia del divorcio es prácticamente igual entre los que son cristianos y los que no lo son. ¿Cómo puede ser esto? Porque todos hemos sido formados por nuestra cultura. Hemos sido seducidos, engañados y manipulados por una dieta constante de la fórmula de Hollywood.

Aun en la iglesia evangélica, los cristianos típicos que realmente conocen a Dios y están en comunión con frecuencia viven según el código del mundo. Inconscientemente manejamos las relaciones igual que Hollywood. Manejamos las finanzas igual que *Wall Street*. Y encaramos la tarea de ser padres con cualquier técnica que parece funcionar o que está de moda.

Hemos dividido nuestra vida en tantos segmentos y compartimientos que nuestra conducta refleja que estamos escuchando más al mundo que a la Palabra de Dios. Hemos cambiado la receta de Dios por la fórmula de Hollywood con resultados desastrosos y dolorosos. No es de extrañarse que el índice de divorcio sea similar para quienes son creyentes y quienes no lo son.

Éstas no son las únicas estadísticas que valgan la pena considerar. En los lugares donde se enseña la receta de Dios y en las familias donde se practica la receta de Dios, ¡vemos resultados asombrosos! Entre las parejas que asisten a la iglesia regularmente (no sólo una vez al mes), que oran juntos regularmente y cuyos integrantes tienen un tiempo devocional individual, el índice de divorcio es menos del 5%. ¿Por qué? Porque están siguiendo el plan divino de Dios. ¿Tienen luchas? Por supuesto. Pero, ¿sabe lo que hacen? Imitan a Dios, perdonan, son amables, examinan su propio corazón y colocan sacrificialmente las necesidades del otro antes que las propias. Lo hacen por un año, luego por cinco años y luego por diez años. Tal vez pasen por épocas de presiones, problemas con los hijos y las finanzas, pero Dios realiza una gran obra y les ayuda a vencer. Es muy difícil y muy bueno. La recompensa, el legado y la bendición producen intimidad y gozo mutuo, no sentimientos eléctricos o empalagosos todos los días. De hecho, algunos días son francamente deprimentes. Es un mundo caído y están casados con una persona que lucha, igual que ellos. Saben que necesitan perdón constantemente; lo dan y lo reciben.

En los matrimonios establecidos según la receta de Dios, los niños están a salvo, seguros, confiados. Los cónyuges que imitan a Dios en su relación matrimonial hacen lo mismo con sus hijos. Desarrollan una tremenda relación familiar a pesar de todas las luchas y los desafíos normales. Lo emocionante es que los hijos pueden ver cómo deben funcionar las relaciones observando a sus padres. Toman la antorcha y se convierten en las personas correctas en sus propios matrimonios, avanzando y tropezando de tanto en tanto mientras siguen la receta de Dios. Si te parece que se trata de un mero deseo o de latitudes espirituales, estás equivocado. Acabo de describir lo que han sido los últimos veinticinco años de vida con Theresa y lo que veo ahora en nuestros hijos adultos. Hemos salido de un pasado disfuncional y hemos cometido muchos errores, pero Dios nos ha recompensado con una relación profunda, íntima, emocionante y todavía muy romántica.

Conclusión

Dios desea esto para ti. No tienes por qué formar parte de una estadística trágica. No tienes por qué temerle al compromiso. Existe una manera sobrenatural de manejar las relaciones. Dios la utilizará en tu vida y tú dejarás un legado.

Como creyentes en Cristo, debemos manejar las relaciones a la manera de Dios. El no hacerlo es un precio es demasiado alto, y cuando manejamos las relaciones a la manera de Hollywood, le partimos el corazón a Dios con mucha frecuencia. Las comparaciones deberían estar grabadas con fuego en nuestra conciencia. Debemos desarrollar una sensibilidad que nos alerte a situaciones en las cuales la fórmula de Hollywood comienza a infiltrarse en nuestro pensamiento. Cuanto mejor entendamos y practiquemos la receta de Dios para el *amor*, el *sexo* y las *relaciones duraderas*, tanto mejor discerniremos las mentiras y la desilusión que nos presente otra alternativa.

Sé que todavía tienes muchas preguntas, probablemente más que cuando comenzaste a leer este libro. Lo que se debe hacer en cuanto a esos sentimientos y esas atracciones extrañas representa una enorme área de dificultad en la vida de muchas personas. Es el territorio que exploraremos en el próximo capítulo.

 Evaluación personal

1. El primer paso en la receta de Dios para el *amor*, el *sexo* y las *relaciones duraderas* entraña el cambio de buscar a la persona correcta a convertirte en la persona correcta. ¿Cómo le explicarías eso a alguien que todavía no ha leído el libro?

2. ¿Cuál es la diferencia entre "enamorarse" y "andar en amor"?

3. Cuando se trata de una relación con otra persona, ¿qué significa "la esperanza en Dios" en lugar de fijarla en la otra persona?

4. ¿Qué te resulta más exigente o curioso acerca de la receta de Dios para el *amor*, el *sexo* y las *relaciones duraderas*?

5. ¿Qué paso específico necesitarías tomar para comenzar a seguir la receta de Dios para relacionarte con el sexo opuesto?

4

Antes de "enamorarse"

E s complicado enamorarse. Pero no permitimos que eso nos detenga. De hecho, desde épocas antiguas hasta el presente, el fenómeno conocido como "enamorarse" ha sido una de las experiencias más buscadas por la especie humana. Queremos caer y zambullirnos en ese hoyo tumultuoso, insondable y sofocante de la atracción irresistible. Recibimos este estado de euforia emocional con los brazos abiertos aunque muchas veces produzca algunas de las peores decisiones, más deplorables y más dolorosas de nuestra vida. No hay duda de que es complicado enamorarse.

Los antiguos griegos tenían una idea interesante acerca del enamorarse; lo comparaban con volverse loco. La mayor parte de los que nos hemos "enamorado" sabemos que los griegos

tenían algo de razón. Cuando entramos en una relación con el
sexo opuesto, parecería que la atracción está controlada por un
poder desconocido y misterioso que anula nuestro razonamiento y produce emociones inexplicables pero innegables. Y
nos gustan esas sensaciones. Son intoxicantes e irresistibles.

La escritora estadounidense Marilyn French capta la esencia
de "enamorarse" cuando escribe que "es la toma de control de
una mente racional y lúcida por la desilusión y la autodes-
trucción. Se pierde el ser, el control sobre sí mismo, y ni siquiera
se puede pensar bien". Describe una condición rara pero real
y familiar para todos nosotros. "Enamorarse" produce algunas
de las emociones más maravillosas y fuertes que
podemos experimentar, distorsionando al mismo
tiempo nuestra capacidad para pensar claramente.

Hemos sido hechos para amar y ser amados.

El filósofo alemán Nietzsche llegó a decir que
"el enamoramiento es el estado en el cual el hombre ve las cosas más distintas a lo que verdaderamente son". La investigación actual tiende a apoyar la observación de Nietzsche. Los expertos en los aspectos de las relaciones,
Les y Leslie Parrott llegaron a la siguiente conclusión tras
entrevistar y aconsejar a miles de parejas: "De hecho, los inicios
apasionados no promueven el mejor pensamiento. Las emociones
fuertes con frecuencia nos impiden observarnos de manera
cuidadosa y objetiva a nosotros mismos, a la persona con la cual
estamos saliendo y la relación que estamos formando juntos".
Ya sea que miremos ejemplos a través de los siglos o que leamos
la investigación más reciente, hay algo que se manifiesta claramente: "enamorarse" es un asunto complicado.

A pesar de todos sus peligros y desventajas, el deseo de
"enamorarse" sigue siendo uno de los más fuertes que tenemos. Hemos sido hechos para amar y ser amados. Pero, ¿por
qué este proceso de conectarse con el sexo opuesto está

complicado por tantos riesgos relacionales? ¿Cómo puede algo tan natural y bello llevarnos a tantas relaciones enfermizas y llenas de dolor, desilusión y disfunción? ¿Por qué es tan complicado enamorarse y qué necesitamos saber para navegar con éxito en este viaje hermoso pero peligroso de las emociones?

Lo que no puedes darte el lujo de ignorar

Quiero sugerir que existen un par de respuestas a las preguntas que acabamos de plantear. La primera respuesta tiene que ver con nuestra falta de perspectiva en cuanto a todo el concepto del amor. Nuestra incapacidad para definir el amor claramente hace que sea casi imposible saber cuándo realmente se está "enamorado". Mientras el amor siga siendo un misterio borroso en algún lugar que se conoce sólo por ondas emocionales muy cargadas, siempre se estará naufragando en un océano de incertidumbre en lugar de estar navegando a tierra firme. Hasta que no se tenga bien en claro lo que significa verdaderamente amar a otra persona, nunca se sabrá si lo que se siente es real, una alucinación o un sentimiento pasajero.

Una segunda respuesta tiene que ver con la confusión general acerca de la diferencia entre el amor y el apasionamiento. Los sentimientos son como el fuego; están hechos para arder, sin importar lo que quemen. Cuando comienzan a volar las chispas relacionales, hay poco que indique inmediatamente si lo que está por suceder es una explosión destructiva, un fiasco emocional o una llamarada que calentará la relación durante décadas.

Es interesante que se hayan realizado investigaciones significativas acerca de la experiencia del apasionamiento. Cuando vivimos esta experiencia que podríamos llamar apasionarse (o despertar un interés romántico), el cerebro secreta sustancias químicas que producen aturdimiento, mareos y una inundación de emociones que no podemos explicar. Ciertas personas activan ese tipo de respuesta en nosotros. Nos sentimos atraídas hacia ellas casi instantáneamente. Desafortunadamente, esta condición interna inesperada frecuentemente se ha descrito como "enamorarse". Esta reacción a la atracción, que también podríamos describir como una "afición químicamente inducida" es en realidad un apasionamiento. ¿Cuál de nosotros no ha entrado en una habitación, cruzado la mirada con un extraño y sentido un agolpamiento instantáneo e inesperado de emoción y atracción? ¿Quién no ha tenido ese impulso de volver a mirar?

¿Quién sabe por qué ocurren estos momentos y exactamente qué los dispara? Pero no hay duda de que los sentimientos constituyen una condición pasajera. La atracción no es ni irresistible ni confiable. Fácilmente se puede sentir pasión por personas que resultan ser pesadillas relacionales. Por eso es que es tan peligro usar el apasionamiento como una señal para seguir con una relación. Si no conocemos la diferencia entre la pasión y el amor, estamos condenados a tomar algunas de las decisiones más tontas y lamentables de nuestra vida. Estas malas decisiones tienen un precio enorme y muy doloroso.

De modo que es esencial en este complicado asunto de "enamorarse" que nos tomemos el tiempo de definir claramente lo que entendemos por la palabra "amor". La inversión traerá grandes dividendos. Podemos aprender a evitar cargas relacionales futuras y a reconocer relaciones de amor auténtico cuando clarificamos dos temas esenciales: (1) qué es el amor y (2) cuál es la diferencia entre el amor y el apasionamiento.

Qué es el amor

En español, la palabra *amor* puede referirse a casi cualquier cosa, y ése es el problema. Puedo mirar los ojos de mi esposa y en un momento de verdad decir: "Theresa, te amo". Horas más tarde, un amigo puede venir a mi casa y decir: "Amo los maratones" (francamente, me resulta casi imposible entender cómo se puede amar correr 40 kilómetros sin parar). ¿Cómo es posible que la misma palabra que uso para describir mis sentimientos más profundos hacia mi esposa sea la misma palabra que mi amigo usa para expresar cuánto disfruta de un deporte? Luego mi hija me dice: "Papá, odio esa música. Pon este disco compacto. Amo a Ricky Martin" (Nota del Editor: En español, a diferencia del inglés, usamos otras palabras para describir las diferentes relaciones. Decimos con más frecuencia "me gustan los maratones", y "me gusta Ricky Martin"). Cuando nos acostumbramos a completar la oración: "Amo..." de mil maneras superfluas, estamos otorgándole significados devaluadas a la palabra *amor*; la misma que deja de tener mucho sentido. Se convierte en poco más de una vaga idea asociada con sentimientos positivos. La usamos para expresar casi cualquier deseo o atracción, por trivial que éste sea. ¿Se da cuenta como una definición tan vaga e incierta del amor nos deja sin palabras cuando tratamos de discernir lo que debemos hacer en las relaciones más importantes de nuestra vida? Francamente, necesitamos ayuda.

Tres clases de amor

El idioma griego es muy preciso en su descripción de las relaciones. Utiliza tres palabras diferentes que pueden traducirse al español como "amor". De estas palabras derivamos los tres tipos principales de amor que debemos considerar cuando le decimos a alguien que lo amamos.

EROS: EL AMOR DE LA PASIÓN SEXUAL

Uno de los tres vocablos griegos para el amor es *eros*. El idioma español tomó esta palabra extranjera para crear una propia: "erótico". Los griegos usaban la palabra *eros* para referirse a un amor centrado en la necesidad o a un deseo basado en la atracción y la realización. *Eros* se caracteriza por la pasión y el deseo sexual. *Eros* describe el aspecto de la relación entre un hombre y una mujer que más se parece al magnetismo. Los imanes no son exigentes. Su capacidad de atracción está "encendida" continuamente y se ejerce instantáneamente ante cualquier objeto con las características apropiadas. Los hombres y las mujeres creados por Dios tienen, como parte de su diseño, una capacidad de atracción que no tienen bajo control completo pero que tampoco es capaz de controlarlos completamente en contra de su voluntad. Este aspecto *erótico* del amor es dado por Dios y es necesario para que los matrimonios tengan éxito; sin embargo, el matrimonio no puede ser mantenido sólo por el *eros*. Es parte del plan de Dios, pero no lo es todo.

> La Biblia trata la vida sexual como parte natural y hermosa del diseño de Dios.

Tal vez algunos de ustedes hayan sentido que en el último párrafo cruzamos una línea peligrosa al poner las palabras "Dios" y "erótico" en la misma oración. Desafortunadamente, los cristianos tienen la fama de creer que Dios está incómodo con el concepto de la vida sexual y que la Biblia está definitivamente en contra de la misma. Pero no es así, porque Dios inventó el amor erótico. Quieras o no, tú y yo somos pruebas vivientes de que la vida sexual funciona. La Biblia trata la vida sexual como parte natural y hermosa del diseño de Dios, tan capaz de ser ensuciada y avergonzada por el pecado como el resto de la creación de Dios. Pero el énfasis de las Escrituras en el sexo dista mucho de ser negativo.

Aunque hay pasajes de la Escritura que claramente deben ser clasificadas como prohibidas para menores de 18 años, como por ejemplo el libro El Cantar de los Cantares, las protecciones con las cuales Dios rodea la vida sexual no se deben a que tenga algo de malo. Se deben al hecho de que hay algo malo en nosotros. La relación sexual es la parte sagrada y privada de una relación matrimonial. Lejos de ser algo sucio o de ser un "mal necesario", como lo han expresado en el pasado algunos teólogos equivocadamente, el amor erótico en el matrimonio está bendecido y promovido por Dios; y él lo llama santo. La unión sexual ofrece a la pareja una de las maneras más potentes de experimentar la unidad a la cual la Biblia se refiere al describir el matrimonio (ver Génesis 2:24, 25).

De hecho, muchos pasajes bíblicos ofrecen instrucciones explícitas acerca de la santidad del sexo en el matrimonio. En Proverbios, capítulo 5, un padre sabio aconseja a su hijo de la siguiente manera:

> Bebe el agua de tu propia cisterna
> y de los raudales de tu propio pozo.
> ¿Se han de derramar afuera tus manantiales,
> tus corrientes de agua por las calles?
> ¡Que sean para ti solo
> y no para los extraños contigo!
> Sea bendito tu manantial,
> y alégrate con la mujer de tu juventud,
> como una preciosa cierva o una graciosa gacela.
> Sus pechos te satisfagan en todo tiempo,
> y en su amor recréate siempre.
>
> Proverbios 5:15-19

¡Qué descripción tan viva, sana y encantadora de la sexualidad matrimonial! Dios no es mojigato. Dios creó la atracción sexual y el amor erótico como parte fundamental de las relaciones entre hombres y mujeres. Desafortunadamente, Hollywood ha limitado el amor al *eros*. El amor erótico es el fuego y la pasión. Es cierto que el *eros* es fuego, pasión y parte maravillosa del amor matrimonial. Pero el amor es mucho más que las chispas y el fuego del *eros*. El fuego es fantástico en el lugar apropiado y en el momento apropiado. Cuando el fuego está en la chimenea, calienta y alegra la habitación; le da un ambiente especial. Pero si se sacan los troncos ardientes de la chimenea y se colocan en el piso de la casa, en poco tiempo todo quedará reducido a humo y cenizas. Hoy vivimos en una cultura donde la gente está tan concentrada en el aspecto erótico del amor que ha perdido de vista el poder y el asombro de la intimidad sexual. El las relaciones sexuales superficiales y el amor según las hormonas, han dejado a innumerables personas vacías, anhelando el amor genuino y una conexión duradera.

Dios diseñó la parte erótica del amor para fines encantadores y específicos. Permítele que *eros* arda en la chimenea de la relación matrimonial. Pero es un tanto ingenuo o distorsionado, como lo vería un miope, creer que el amor erótico puede sustentar una relación. De hecho, son los otros aspectos del amor en una relación los que avivan, de maneras muy particulares, el fuego en la chimenea.

FILEO: EL AMOR DE LOS MEJORES AMIGOS

Los griegos llamaban *fileo* al otro término para describir el amor. Es el amor de la amistad. La Biblia usa la palabra "compañerismo" varias veces para describir esta parte de la relación matrimonial. *Fileo* significa compartir el tiempo, los pasatiempos, las actividades, el hogar, los juegos y otros aspectos del compañerismo. La ciudad estadounidense de Filadelfia es la ciudad del amor fraternal.

Fileo se refiere a ese parte mutua, amistosa del amor. *Eros* ve al hombre y la mujer como amantes. *Fileo* ve al hombre y la mujer como los mejores amigos. Un pasaje del Nuevo Testamento que amplía nuestro entendimiento de *fileo* es el de Romanos 12:9-13.

> El amor sea sin fingimiento, aborreciendo lo malo y adhiriéndoos a lo bueno: amándoos los unos a los otros con amor fraternal; en cuanto a honra, prefiriéndoos los unos a los otros; no siendo perezosos en lo que requiere diligencia; siendo ardientes en espíritu, sirviendo al Señor; gozosos en la esperanza, pacientes en la tribulación, constantes en la oración; compartiendo para las necesidades de los santos; practicando la hospitalidad.

Por favor, tómate el tiempo para leer este pasaje nuevamente. Esta vez detente en el tono de las palabras y las actitudes. ¿Percibes el deseo de Pablo de construir una comunión y un compromiso que afecten cada parte de nuestra vida y de nuestras relaciones? ¿Sientes la salud y el encanto que permea cada frase? ¿No sería maravilloso que este pasaje describiera el trato del amor de tu vida?

La palabra griega traducida por *amor* en la primera oración en realidad es el tercer tipo de amor que examinaremos más adelante. Pero las cualidades de sinceridad, rechazo del mal y dedicación *"a lo bueno"* forman el marco del *fileo* (amor fraternal) que comienza en el versículo 10. Las cualidades del amor que se resaltan son la autenticidad y la sinceridad. Después se mencionan los aspectos prácticos, cotidianos de la relación:

"amándoos los unos a los otros con amor fraternal" (fileo).
Para que nuestras relaciones sean sanas y duraderas, deben
caracterizarse por la devoción y el compromiso. ¿Cómo es eso?
Primero, *"prefiriéndoos los unos a los otros"*. En otras palabras,
considera que las personas que te rodean son
dignas de atención, aliento, respeto y admiración. *"No siendo perezosos en lo que requiere
diligencia, siendo ardientes en espíritu, sirviendo al Señor"*. Nuestra motivación para la
manera de tratarnos siempre vuelve, no a lo
que merecemos, sino a nuestra relación con
Cristo. La manera en que amamos a los demás
es una expresión de nuestro servicio sincero
y agradecido a Cristo. La descripción de *fileo*
continúa con: *"gozosos en la esperanza, pacientes en la tribulación, constantes en la oración; compartiendo para las necesidades de los santos"*.

> La manera en
> que amamos
> a los demás es
> una expresión
> de nuestro
> servicio sincero
> y agradecido
> a Cristo.

Cada una de estas frases enuncia una "comparación rápida"
que comienza con un desafío a lograr cierto nivel de respuesta
(gozo, paciencia, constancia, generosidad) seguido inmediatamente por un campo de acción (esperanza, tribulación, oración,
necesidad). En otras palabras, el gozo no es una despreocu-
pación ingenua ni una negación de los problemas de la vida;
más bien es una perspectiva consciente, esperanzada que siempre nos recuerda que Dios tiene el control. La paciencia no se
establece sino en la tribulación. La fidelidad en el amor fraternal tiene mucho que ver con la forma en la cual oramos los
unos por los otros. Significa más el hecho de compartir cuando
nos tomamos el tiempo de observar lo que hace falta y hemos
hecho lo que podíamos para satisfacer esas necesidades.

El apóstol Pablo termina este pasaje con una indicación
breve: *"practicando la hospitalidad"*. En el mundo antiguo la

hospitalidad siempre entrañaba alimento y refugio para los necesitados. Observemos que cuando amamos con el amor *fileo*, debemos "practicar" del mismo modo que un médico práctica la medicina. Por esto, cuando practicamos la hospitalidad, debemos hacerlo cada vez mejor. Este mandamiento significa vivir de tal modo que se ponen las necesidades prácticas de los demás antes que las propias. Hoy en día, tal vez signifique tener que cambiar de proveer alimento y techo a tomar el tiempo para satisfacer las necesidades emocionales de la pareja. A lo mejor signifique ir de compras o dar una larga caminata cuando no quieras hacerlo. En el matrimonio, practicar la hospitalidad puede significar algo tan obvio como el arreglar cosas en la casa.

Fileo entraña vivir como amigos, con lealtad y comunicación. Tiene que ver con sentarse, cuando no tienes deseos, para repasar el presupuesto y tomar decisiones. Tiene que ver con hablar la verdad en amor cuando uno se siente irritado o herido. *Fileo* enfrenta los asuntos difíciles y está dispuesto a dar la cara, buscando siempre el perdón y la restauración que vienen del corazón.

Si *eros* es la chispa que enciende nuestra pasión repetidamente, *fileo* es el combustible constante que alimenta nuestro gozo. Vivir juntos, no sólo como amantes apasionados, sino como mejores amigos, se encuentra en el corazón del amor genuino, del vida sexual gratificante y de la relación duradera. Aunque sabemos casi instintivamente que queremos ese tipo de vida, nuestros esfuerzos no son suficientes. Los humanos frecuentemente mostramos sentimientos que fluctúan rápidamente y afecto inconstante. Nuestra capacidad de amar *eros* y *fileo* puede encenderse y apagarse, como llamas a las cuales les falta aire o leña. Aunque *eros* y *fileo* contribuyen a una relación sana, necesitan ayuda. Necesitan un tercer compañero que brinde profundidad, fuerza y carácter duradero al romance y la amistad. Por eso, el amor que podemos experimentar y expresar con mayor influencia es el amor sacrificial, el amor *ágape*.

ÁGAPE: EL AMOR DEL COMPROMISO SACRIFICIAL

El otro tipo de amor captado por el idioma griego se llama *ágape*. Éste es el amor que da. Actúa unilateralmente, o sea, que se extiende aunque la persona amada no reconozca el amor. El *ágape* da aun cuando el compañero no responda de la manera esperada. Da y suple las necesidades reales de otro y ayuda a esa persona a convertirse en un individuo mejor y más maduro. Es el amor abnegado.

El *ágape* toma la iniciativa y energiza los otros dos tipos de amor. Desafortunadamente, el clásico pasaje bíblico que describe ese tipo de amor se ha convertido en algo trivial. En lugar de ser practicado por los creyentes, se lo encuentra mayormente en cuadros para decorar paredes. También se lo imprime en la portada de los programas de bodas, pero rara vez es comprendido por la pareja. Quizá las palabras se han vuelto tan familiares que es probable que las oigamos sin dejar que su significado penetre en nuestra mente. Esta vez, al leerlas, piensa en lo que pasaría en una relación entre un hombre y una mujer si lo que estás por leer describiera su trato real en los altibajos de la vida cotidiana.

> El amor tiene paciencia y es bondadoso. El amor no es celoso. El amor no es ostentoso, ni se hace arrogante. No es indecoroso, ni busca lo suyo propio. No se irrita, ni lleva cuentas del mal. No se goza de la injusticia, sino que se regocija con la verdad. Todo lo sufre, todo lo cree, todo lo

espera, todo lo soporta.
El amor nunca deja de ser.
1 Corintios 13:4-8a

Fileo es el amor de la amistad que requiere un alto nivel de mutualidad; damos, esperando algo. Pero *ágape* es el amor que se da, no porque tu pareja haya hecho algo bueno o porque sea maravillosa todo el tiempo, sino aun cuando te haya herido. Es el tipo de amor que nos exige Efesios 4:32: "*... sed bondadosos y misericordiosos los unos con los otros, perdonándoos unos a otros, como Dios también os perdonó a vosotros en Cristo*". Es exactamente el tipo de amor que el apóstol Pablo tiene en mente cuando comienza el capítulo 5 de Efesios donde nos alienta a "*andar en amor*", a poner en práctica un amor *ágape*.

Este amor *ágape* es un amor sobrenatural e incondicional dado por Dios. El pasaje de 1 Corintios 13 dice que, en primer lugar, el amor es "*paciente*". Podríamos detenernos ahí. Paciencia significa aguantar un montón de cosas durante mucho tiempo sin represalias. Después el pasaje dice que el amor "*es bondadoso*", lo cual significa que no sólo busca maneras positivas de expresar su preocupación y suplir las necesidades, sino que carece de todo indicio de envidia, celos, jactancia, orgullo, descortesía, egoísmo, irritabilidad, memoria de las ofensas o deleite en el mal.

> Amor *ágape* es dar a los demás lo que más necesitan cuando menos lo merecen.

En el amor *ágape*, no se trata de ti. No se trata de tu vida ni de lo que puedas conseguir. Se trata de cómo tú puedes servir a la otra persona. Cuando alguien ama de esta manera, no se enoja fácilmente. No explota. No tiene rabietas. No levanta el juguete y se vuelve a casa. A diferencia de la versión del amor de Hollywood, que depende de sentimientos apasionados, belleza y un tiempo agradable, este tipo de amor permanece leal y constante aun en los peores momentos.

El amor *ágape* **"*no lleva cuentas del mal*"**. Consideremos las debilidades y los errores ajenos del mismo modo que desearíamos que los demás consideraran nuestras debilidades y nuestros errores, cuando fallamos. **"*El amor no se goza de la injusticia, sino que se regocija con la verdad*"**. No dice: "Ves, te pesqué"; sino: "¿Sabes? Me enteré y te amo. ¿Cómo podemos solucionar esto?". Es el tipo de amor que mira más allá del fracaso de los demás, que cree en ellos aun cuando ellos no crean en sí mismos. Es un compromiso centrado en la pareja, dado por Dios, que **"*todo lo sufre, todo lo cree, todo lo espera, todo lo soporta*"**. Es un amor tan poderoso que **"*nunca deja de ser*"**. Dice: "No importa lo que pase, estoy contigo". Eso es el amor *ágape*, el amor que no deja de dar.

El amor *eros* tiene que ver con las emociones intensas y la atracción física. El amor *fileo* tiene que ver con la amistad, la comunión, el compartir. El amor *ágape* tiene que ver con la lealtad incondicional y el compromiso sacrificial. De hecho, el amor *ágape* se puede resumir de la siguiente manera: Amor ágape es dar a los demás lo que más necesitan cuando menos lo merecen.

Si después de leer este resumen pensaste para tus adentros, *Eso suena imposible*, ¡tienes razón! ¡El amor *ágape* es imposible! El amor *ágape* no puede ser fabricado por el esfuerzo o la voluntad humana; y sin embargo, es esencial para tener un amor profundo, relaciones sexuales íntimas y una relación duradera. Si te resulta desconcertante insistir en que necesitamos un tipo de amor que no podemos crear por nuestra propia cuenta, permíteme explicarte una pequeña teoría que tengo acerca de cómo funcionan las relaciones.

La teoría de Ingram sobre las relaciones

Tengo una teoría. No se encuentra en la Biblia como tal, sólo es una teoría. Tal vez la vida no funcione exactamente así, pero para mí tiene mucho sentido. Creo que Dios nos hizo un truco (en el buen sentido) cósmico. El truco es que puso en tu corazón y en el mío un impulso y una pasión increíbles por la intimidad y por las relaciones. Luego creó las relaciones. Hizo a hombres y mujeres con necesidades diferentes, de modo que cada compañero también necesitaría una fuente de poder sobrenatural para perdonar, amar, cuidar y hacer el bien al otro aun cuando no tuviera ganas de hacerlo; de la misma manera como Dios hace con nosotros. De esta forma, Dios nos mantendría constantemente conscientes de nuestra necesidad de él cuando buscáramos el amor y la realización en las relaciones. En el ingenioso diseño de Dios, los integrantes de la pareja resistirían la tentación de creer que no necesitan a Dios porque se tienen el uno al otro; sino que llegarían a saber que necesitan la participación de Dios para permanecer juntos. Sin ese reconocimiento de la participación de Dios, la relación puede desintegrarse fácilmente.

Si no me estoy haciendo entender con esta teoría sobre las relaciones, permíteme ilustrar la idea de esta manera. Volvamos a nuestros dos modelos de relación anteriores y agreguemos algunas características que te ayudarán a ver cómo Dios diseñó el funcionamiento de las relaciones con él como el centro.

Cuando no se incluye a Dios, la fuente del amor *ágape*, en una relación, se va directo al fracaso. Si haces esto, pasarás por muchas relaciones, herirás a los demás, te lastimarás a ti mismo, te desalentarás, llegarás a creer que te pasa algo y sufrirás una multitud de problemas personales y relacionales. ¿Se parece esto a muchas de las relaciones que has observado o experimentado? ¿Se parece esto a un patrón que has visto en la vida de las personas, incluso la tuya propia? Si realmente deseas tener una gran relación que vaya más allá de satisfacer tus necesidades o de jugar a "te amaré si me amas", entonces deberás romper el esquema. Tendrás que establecer tu relación sobre una base espiritual. Si deseas amar radicalmente y experimentar la intimidad que Dios propuso, deberás llegar al punto de darte cuenta que *¡No puedo hacer esto! No puedo hacer que la relación funcione. He probado todo el asunto de la comunicación y la terapia, pero amar a esta persona cuando su modo de tratarme hiere mis sentimientos está más allá de mis fuerzas.* A lo mejor lo podrías hacer varias semanas si estuvieras muy decidido, pero creo que Dios ha diseñado las relaciones de tal modo que tus anhelos más profundos se vean frustrados hasta que te des cuenta de que necesitas un poder sobrenatural para amar a la persona más importante de tu vida.

Recuerda nuestra imagen triangular del diseño de Dios: él está en el ápice. El hombre y la mujer, con toda su pasión por la intimidad, comienzan en los ángulos inferiores de la pirámide. ¿Qué pasa a medida que cada integrante de la pareja se acerca a Dios? La distancia relacional entre el hombre y la mujer se reduce: la intimidad es cada vez mayor.

Si quieres estar seguro de estar enamorado, tienes que mirar al amor más allá de la fórmula de Hollywood: el afecto, conocer a alguien, tratar de solucionar las cosas, tener sentimientos fuertes. Necesitas definir el amor con claridad. ¿Cuál definición del amor podría ser mejor que la de aquel que es amor y que nos amó originalmente?

El amor es una cuerda de tres hilos entretejidos en equilibrio y tiempo. La cuerda incluye el apasionado *eros*, el amistoso *fileo* y el generoso *ágape*. Según Efesios 5:1, 2, nuestro objetivo final en el amor es tratar a los demás como Dios nos ha tratado a nosotros. Cada tipo de amor contribuye de manera especial a una relación sana, en especial a la del matrimonio.

Cómo mejorar tu vida amorosa

Estás comenzando a entender un paradigma completamente nuevo de lo que significa estar enamorado. ¿Hacia dónde se va desde aquí? Se nos ha dicho todo el tiempo que el amor tiene que ver con los sentimientos, la pasión, los encuentros fortuitos y la química. Pero todos sabemos que las relaciones basadas sólo en esos elementos pasajeros producen el tipo de caos y tragedia que vemos a nuestro alrededor. No tiene por qué ser así. Con un entendimiento correcto de lo que significa amar y ser amado, puedes comenzar a encarar las relaciones de otro modo. Dios te ama y desea que aprendas a compartir tu vida de manera significativa con una persona del sexo opuesto. Repasemos los pasos para avanzar hacia relaciones profundas y amorosas.

Paso 1: Definir el amor. No se trata sólo de sentimientos; es *eros*, *fileo* y *ágape*.

Paso 2: Discernir entre el apasionamiento y el amor.

En el próximo capítulo consideraremos doce preguntas específicas que te ayudarán en este proceso de discernimiento. Por ahora, empieza a notar la diferencia. Cuando se trata de un apasionamiento intenso, a lo mejor descubrirás que tienes la tendencia de "enamorarte" todos los días. No es el tipo de amor que construye una relación duradera. El apasionamiento va y viene fácilmente; el amor genuino es para siempre, es para que dure.

Estoy ansioso de que leas el próximo capítulo donde aprenderemos juntos a distinguir el apasionamiento del amor genuino. Se me ha dicho repetidamente que la información que se encuentra en el próximo capítulo está entre lo más útil de todo este libro. Pero antes de hacerlo, permíteme ofrecerte ayuda práctica inmediata para mejorar tu vida amorosa.

Una palabra para los solteros

Dale prioridad a la guía de Dios y al compromiso con la otra persona por sobre el envolvimiento emocional y físico.

Si eres soltero, divorciado o viudo, permíteme alentarte a demorar el aspecto físico de toda relación nueva. Los contactos físicos tempranos y escalonados durante las primeras fases de una relación afectan el pensamiento y ayudan a formar el marco para el fracaso. Este axioma: dale prioridad a la guía de Dios y al compromiso con la otra persona por sobre el envolvimiento emocional y físico, te será de gran ayuda. Te protegerá de relaciones disfuncionales. Permitirá que el aspecto *erótico* entre en la relación en el momento oportuno y de buena manera. En lugar de experimentar culpa, vergüenza y otro ciclo de fracaso, aprenderás a encarar las relaciones de una manera nueva y sana. Más adelante, hablaremos mucho más acerca de cómo construir una base espiritual, y cómo pasar de ese punto inicial hacia la observación del círculo interior y el carácter de la persona con quien estás desarrollando una nueva relación. Dios tiene mucho que enseñarnos sobre cada paso del crecimiento en amor: social, psicológico, emocional y físico. Los niveles de mayor intimidad se desarrollarán naturalmente, en lugar de estar precariamente equilibrados en un pequeño punto de emociones y primeras impresiones.

Una palabra para los casados

El amor sano requiere la participación de los tres tipos de amor. Examina cada uno de ellos, determina cuál le hace más falta a tu pareja y escoge dárselo como un acto de adoración a Dios.

Este axioma para los casados no es difícil de entender, sólo es difícil de poner en práctica. Las quejas que oigo de las parejas son tan predecibles que serían graciosas si no crearan tanto dolor y problemas. Los esposos suelen decir: "¡No hay suficiente *eros* en nuestro matrimonio!". Las esposas contestan inmediatamente: "¡No hay suficiente *fileo* en nuestro matrimonio!". Es el jaque mate clásico que debemos superar. Son necesidades legítimas, pero representan el punto de partida equivocado. Si verdaderamente deseas mejorar tu matrimonio, lo más seguro es comenzar el proceso del cambio dando por sentado que tu pareja necesita que tú le des amor *ágape*. No porque lo

> He aprendido que el poder sobrenatural del amor de Dios puede facultarme para hacer lo imposible y lo incómodo.

merezca o porque esté en primer lugar en la lista. Tomas ésta decisión porque has experimentado el amor de Cristo y te das cuenta que satisfacer la necesidad del otro es la mejor manera de expresar tu gratitud a Dios por su amor hacia ti. Esto significa que una esposa elige tratar a su esposo de una manera tal que ayuda a que él se sienta realizado. Mientras tanto, el esposo elige tratar a su esposa de una manera igualmente especial que la ayuda a que se sienta realizada. Ninguno de los dos espera al otro para actuar.

Estoy convencido de que no podemos tener un matrimonio profundo y admirable sin que obre el poder sobrenatural de Cristo en nuestra vida. No creo que sea posible sin la ayuda de Jesucristo. Pero hay buenas noticias: He aprendido que el poder sobrenatural del amor de Dios puede facultarme para hacer lo imposible y lo incómodo. Con la ayuda de Dios, puedo dar a mi esposa lo que ella necesita y que a mí me cuesta darlo. Reconozco que la lucha se produce porque en el fondo soy un tipo egoísta. Pero también estoy permitiendo que Dios cambie mi corazón. A lo largo de los años he aprendido a dar lo que sé que expresa el "te amo" para ella, aun después de que ella me haya herido o no haya cumplido mis expectativas. Del mismo modo, la he visto amarme aun cuando no he sido nada digno de amar. No, no es fácil, ¡pero definitivamente vale la pena!

Si te parece que estoy exagerando a favor del amor *ágape*, me gustaría compartir una pequeña historia que ilustra a la perfección lo que puede pasar cuando una persona decide implementar este nuevo paradigma del amor hacia su pareja. Un hombre, aparentemente corredor de bolsa de *Wall Street*, escribió el siguiente relato acerca de unas vacaciones inolvidables.

Hice un voto durante el viaje a la cabaña en la playa. Durante dos semanas trataría de ser un esposo y padre amoroso, sin condiciones. La idea se me ocurrió mientras escuchaba a un maestro bíblico por la radio. Estaba citando un pasaje. Dijo que los esposos debían ser considerados hacia sus esposas. Después dijo que el amor es un acto de voluntad y que escogemos amar.

Tuve que admitir que había sido un esposo bastante egoísta y que nuestro amor había sido bastante aburrido, mayormente por mi propia insensibilidad, muchas veces en cosas triviales. Enojarme con mi esposa por su tardanza. Insistir en tener que ver mi programa favorito en la televisión. Tirar diarios a la basura sabiendo que ella todavía no los había leído. Durante dos semanas iba a cambiar todo eso. Y lo hice. Cuando salimos de la casa, besé a mi esposa y le dije:

—Ese suéter amarillo te queda muy bien.

—Oh, Tom, te diste cuenta —exclamó, sorprendida.

Después del largo viaje, yo quería sentarme a leer. Ella sugirió una caminata por la playa. Iba a decirle que no y luego pensé: *Ella ha estado sola con los niños toda la semana y ahora quiere estar a solas conmigo.* Caminamos por la playa mientras los niños hacían volar sus cometas.

Y así pasaron dos semanas sin que yo llamara a la empresa de inversiones de *Wall Street* a cuya junta pertenezco. Por lo general, odio los museos, pero fuimos al museo de conchas marinas y lo disfruté. Hasta me callé cuando, como de costumbre, ellas nos hicieron salir tarde para cenar. Decidí relajarme y disfrutar, y así fue durante todas las vacaciones. Juré seguir recordando que debía escoger amar. Al igual que Jesús en el huerto de Getsemaní, no siempre tenía ganas de hacerlo, pero lo hice porque era lo correcto. Sin embargo, hubo un problema con mi experimento. Mi esposa y yo nos reímos de él hasta el día de

hoy. La última noche que estuvimos en la cabaña, estábamos preparándonos para ir a descansar, y me esposa me
miró con una expresión muy triste.

—¿Qué te pasa? —le pregunté.

—Tomás, ¿me estás ocultando algo?

—¿Por qué piensas eso?

—Ese chequeo médico que me hicieron hace varias
semanas. ¿Te dijo algo el médico? Has sido tan bueno conmigo. ¿Me voy a morir?

Tardé un momento en absorberlo. Luego dije:

—No, querida, no te vas a morir. Yo estoy comenzando a vivir.

Conclusión

Aquí está el trato. Tú puedes lograr eso. El amor no es un
sentimiento; es una elección. A medida que aprendas a tomar
las decisiones correctas y confiar en Dios, sentirás emociones
que nunca creíste posibles. Pero el paradigma es diferente. El
diseño de Dios para el matrimonio es muy distinto a las des-
cripciones y los supuestos que aparecen día tras día en los
medios. Cuando te sienta invadido por emociones fuertes,
cuando veas a alguien fascinante, cuando mires a los ojos de
alguien y sientas que tu cociente intelectual se desvanece,
**¿cómo sabrás si se trata de una relación que Dios está
orquestando y si él ha producido esa química para atraerte
hacia esa persona, o si se trata sencillamente de un simple
apasionamiento?** Necesitas poder contestar esa pregunta si
deseas escapar del círculo vicioso de las relaciones rotativas.
Ése será el tema del próximo capítulo.

Evaluación personal

1. ¿Cómo describirías en una oración los aspectos exclusivos de cada uno de los tres tipos de amor que cubrimos en este capítulo: *eros, fileo, ágape*?

2. ¿Qué papel desempeña cada uno de estos aspectos del amor en tu relación actual (si eres casado) o en tus expectativas de la vida matrimonial (si eres soltero)?

3. ¿Por qué es tan importante conocer la diferencia entre el apasionamiento y el amor para entender algunas de tus reacciones ante miembros del sexo opuesto?

4. ¿Por qué se dice en este capítulo que es "complicado enamorarse"?

5. ¿Qué pasos específicos crees que Dios desea que tomes para que el amor *ágape* se convierta en una parte más significativa de tus relaciones?

5

Cómo saber si estás enamorado: *doce pruebas*

Piensa por un momento: ¿Recuerdas la primera vez que te pasó? Se miraron a los ojos, y tú miraste otra vez. Algo dentro de ti quería un tercer vistazo, seguido rápidamente por una larga mirada. No querías fijar la mirada, pero algo te atraía irresistiblemente hacia la otra persona. Cuando finalmente se conocieron, te transpiraban las palmas de las manos y esperabas que nadie lo notara. Los latidos de tu corazón comenzaron una carrera mientras que te envolvía una sensación extraña pero estimulante.

De repente tenías miedo de hablar, porque sabías que si abrías la boca, saldría un balbuceo incomprensible. La experiencia fue emocionante y aterradora al mismo tiempo.

Cuando la otra persona comenzó a hablar, te sentiste atraído como un imán a un lingote de hierro. No la conocías ni sabías de dónde venía, pero algo de su apariencia y lo que proyectaba disparaba una sensación inexplicable de euforia y agitación. Su sonrisa o un pequeño gesto quedaron grabados al instante en tu mente. Sabías que nunca la olvidarías. Por un momento te preguntaste cómo podrías describir este momento a un amigo. Después, como por arte de magia, apareció un pensamiento surgido de innumerables horas de exposición a la fórmula de Hollywood: *Creo que me estoy enamorando.*

Tú lo has vivido, y yo también. Sin duda todos estamos de acuerdo en que son momentos emocionantes, especialmente si sentimos una respuesta similar en la otra persona. Pero, ¿es amor? ¿Cómo se sabe si lo que acabo de describir es el principio de la relación más importante que se tendrá en el mundo o un sencillo episodio de apasionamiento? ¿Cómo se sabe si uno realmente se está enamorando o si sencillamente siente una atracción física por un miembro del sexo opuesto? Quiero compartir doce pruebas que te ayudarán a entender si estás enamorado o si estás experimentando lo que los expertos en las relaciones suelen llamar *apasionamiento.*

Si eres soltero, a lo mejor tus ojos se hayan abierto un poco más y tu mente haya pasado a marcha acelerada. ¡Imagínate! Doce pruebas legítimas que pueden ayudarte a discernir si estás verdaderamente enamorado o no. Son pruebas muy buenas y realmente funcionan. Pero este capítulo no es sólo para solteros que están saliendo o están comprometidos. También ayuda a cualquiera que no esté en una relación significativa para aprender el tipo de persona que debe buscar y el tipo de persona que debe evitar.

Si estás casado y te sientes tentado a decir: *He estado casado 27 años; ¿qué tiene que ver conmigo?,* recapacita. Nuestro fracaso en entender la diferencia entre el amor y el apasionamiento va mucho más allá de encontrar a la persona correcta. A menos que entiendas la diferencia fundamental entre el amor y el apasionamiento, es posible que vayas rumbo a la desolación en el futuro de tu matrimonio. Si crees que lo que llamaremos apasionamiento es la verdadera prueba del amor, tal vez te encuentres en una muy buena relación pero no te sientas amado. Tus expectativas distorsionadas podrían estar robándote una relación placentera, calurosa y profunda. Además, si no tienes en claro la diferencia entre el amor y el apasionamiento, tal vez llegues a conectarte, sin intención de hacerlo, con un miembro del sexo opuesto que no es tu cónyuge, y llegues a la ingenua conclusión de que has hallado el "verdadero amor".

Este capítulo es para los solteros, para los que están solteros de nuevo y para los casados también. No lo saltes. En serio, aunque seas abuelo, necesitas leerlo para aconsejar a tus nietos acerca de la selección sabia de un compañero para construir una relación duradera.

Doce pruebas para diferenciar entre el amor y el apasionamiento

Cada una de estas pruebas está diseñada para ayudarte a **discernir y distinguir entre el amor y el apasionamiento**. Después de leer cada enunciado, aplícalo a tu relación actual o a tus expectativas de lo que debería incluir una relación amorosa. Pregúntate: *¿Está más alineada mi relación actual con el amor o con el apasionamiento en este aspecto en particular?* De hecho, te animo a tomar un lápiz y anotar una "A" por amor o una "P" por apasionamiento junto a cada prueba. Si tu relación tiene más de un 51 por ciento de amor, anota una "A"; si tiene más de un 51 por ciento de apasionamiento, anota una

> **Es una herramienta para ayudarte a aprender y crecer en tu entendimiento de la parte más importante de tu vida, amar a otro ser humano.**

"P". Éste no es un examen que se pueda reprobar. Es una herramienta para ayudarte a aprender y crecer en tu entendimiento de la parte más importante de tu vida, amar a otro ser humano. Sin más, introduzcámonos en las pruebas.

1. La prueba del tiempo

El amor se beneficia y crece con el tiempo; el apasionamiento mengua y disminuye con el tiempo. El apasionamiento puede sobrevenir repentinamente. Pensamos: "*¡Boom! Estoy enamorado*". En realidad, eso es apasionamiento. Probablemente, deberíamos esforzarnos por no hablar del "enamoramiento". *Crecemos* en amor. El amor surge de la relación, del cariño y de rasgos fundamentales del carácter, no de nuestra impresión o percepción instantánea de otra persona. El apasionamiento puede explotar en cualquier momento, pero el amor verdadero lleva tiempo. Más de un sabio ha aconsejado no declarar el amor hasta que haya pasado un período razonable.

¿Estás apurado por identificar ciertos sentimientos como "amor" o tienes otras palabras para describir las emociones? ¿Guardas la palabra *amor* para algo mejor que los sentimientos? ¿Cuánto tiempo crees que debe pasar antes de que se pueda identificar el amor claramente? Si descubres que te "enamoras" rápida y frecuentemente, sólo para desilusionarte más adelante, tal vez el recordar esta primera prueba del verdadero amor te evite dolor en el futuro.

2. La prueba del conocimiento

El amor surge de una evaluación de todas las características conocidas de la otra persona. El apasionamiento puede surgir de la conciencia de una sola característica de la otra persona. Algo del aspecto de esa persona o de su manera de funcionar en cierto rol te puede dar una idea muy distorsionada de su carácter global. Tal vez ni siquiera conozcas a la otra persona. Francamente, una mirada o un encuentro casual pueden funcionar como una especie de disparador químico.

Me asombra la frecuencia con la cual las parejas que están muy avanzadas en la planificación de su casamiento demuestran una falta de conocimiento básico el uno del otro. Cuando pido que cada uno me presente a su pareja detalladamente, muchas veces parecería que estuvieran presentando a un extraño. Después les pido que me den varios ejemplos de rasgos del carácter que aprecian en la otra persona. Me ofrecen frases estereotipadas: "Tiene un gran sentido del humor", o: "Siempre puedo contar con ella", o un silencio avergonzado. Muchas veces les digo: "Casi he dejado de preguntarles a las parejas por qué se casan. Después de todo, sólo hay una respuesta correcta, ¿no?". Sonríen, cómplices. Continúo: "La respuesta que me dan casi siempre es: 'porque estamos enamorados'". Asienten con la cabeza, pues eso era lo que ellos pensaban decir. Continúo: "Ahora, si todas las parejas dicen lo mismo, pero casi la mitad termina por divorciarse, no es una motivación muy apremiante, ¿verdad?". Se miran entre ellos, como preguntándose en qué terminará todo esto. Les pregunto: "¿Cuántas buenas razones, aparte de 'estar enamorados', pueden darme para explicarme por qué se están casando?". Desafortunadamente, la mayor parte de las parejas rara vez tienen metas compartidas, una visión compartida o propósitos compartidos en cuanto adónde se dirigen con su matrimonio.

El apasionamiento vive en un mundo de fantasía donde el objeto de nuestro afecto es perfecto, impecable y está completamente dedicado a nosotros. El apasionamiento está satisfecho con conocer muy poco. El amor anhela conocer muy bien. El amor desea estudiar las necesidades, los deseos, los sueños y las esperanzas de la otra persona porque desea hacer de todo para que se vuelvan realidad. El amor está interesado no en lo que pueda obtener, sino en lo que pueda dar. Una relación debería desenvolverse como una carrera universitaria en la cual la otra persona se convierte en un estudioso fascinante y multifacético. El matrimonio, entonces, se convierte en un doctorado de por vida: conocer y entender al cónyuge.

¿Cuánto esperas conocer a la persona con quien te casarás? ¿Cuánto conoces a tu cónyuge? ¿Puedes describir el propósito central de la vida de tu pareja? ¿Puedes nombrar tres objetivos que deseas lograr durante los próximos cinco años? ¿Cuál es el acontecimiento o lugar inusual que más le gustaría experimentar en algún momento de su vida? ¿Has decidido cómo ayudarle a lograr esa meta o ese sueño? El apasionamiento decide rápidamente que sabe todo lo que necesita saber. El amor genuino crea un ambiente de tal interés que la otra persona se abre como una flor. ¿Cómo te está yendo en la prueba en del área del conocimiento?

---

3. La prueba del enfoque

El amor genuino está centrado en la otra persona. El apasionamiento está centrado en sí mismo. ¿Sabes lo que les importa más a las personas que sienten apasionamiento? Ellas mismas. Observé a un compañero de la universidad descubrir el poder del apasionamiento por primera vez. Los griegos tenían razón, se volvió un poco loco. Cuando comenzó, me sentí contento por él, porque era tímido y no tenía muchas relaciones. Era sorprendente oírle decir:

—Chip, es increíble. Nunca estuve tan enamorado.

Después de unas diez versiones de esa declaración, le pregunté:

—¿Cómo se llama? ¿La conozco?

Sonrió tímidamente:

—En realidad todavía no nos presentamos. Todavía estoy armándome de valor para averiguar su nombre.

—Entonces, ¿cómo sabes que estás enamorado? — le pregunté.

—Cuando pasa caminando, no te imaginas lo que siento con sólo verla.

No te aburriré con los detalles, pero esto siguió muchos días. Por fin consiguió que se la presentaran. Entonces nuestras conversaciones adquirieron un nuevo tono de urgencia. Se paraba, a medio vestir, en nuestra habitación, haciéndome preguntas algo confusas.

> ¿Sabes lo que les importa más a las personas que sienten apasionamiento?

—Chip, ¿cuál te parece que me queda mejor, esta camisa o esa? ¿Y los zapatos? Tengo estos deportivos, pero puedo usar los otros que son más elegantes. A lo mejor la veo hoy.

Cada vez que hablábamos, el tema era cómo se veía, cómo quedaría, qué impresión causaría. Confieso que yo tenía mi propio conjunto de disfunciones relacionales, pero hasta yo me daba cuenta (el apasionamiento casi siempre es más obvio en la vida ajena) que estaba sufriendo algún tipo de fiebre o virus. ¿En qué estaba concentrado? *En sí mismo*. Eso no es amor; eso es un intercambio químico en el cerebro. Apasionamiento.

En tus relaciones más importantes, ¿en qué medida está enfocada tu atención en lo que *tú* estás recibiendo del otro y en qué medida está enfocada en satisfacer las necesidades del *otro?* ¿Piensas en cómo vas a quedar o sentirte tú en la relación, o acerca de lo que puedes hacer para que esa persona quede y se sienta bien?

---

4. La prueba de la exclusividad

El amor genuino se concentra en una sola persona. Alguien bajo apasionamiento puede estar "enamorado" de dos personas o más al mismo tiempo. Desafortunadamente, mis mejores historias acerca de las cosas tontas que hace la gente bajo la influencia del apasionamiento me tienen a mí mismo como personaje principal.

Durante el primer año después de egresar de la facultad, estaba saliendo con una joven estudiante de otra universidad. La mayor parte de lo que compartíamos era apasionamiento. No la conocía muy bien, pero estábamos construyendo una pequeña relación. Ni siquiera estábamos saliendo "en serio", pero estaba comenzando a pensar que a lo mejor ella era "la indicada" porque sentía ciertas emociones.

Mientras tanto, ingresé en un equipo cristiano de básquet que viajó por toda América Latina. En nuestra primera parada en Puerto Rico, jugamos contra un buen equipo en un estadio grande. Después del partido, conocí a una joven misionera muy simpática, y terminamos saliendo juntos para un picnic muy romántico. Todavía recuerdo el color de su vestido. También recuerdo ciertos sentimientos. Me sentí atraído hacia ella. Me sorprendió mi reacción porque las emociones eran similares a las que sentía por mi "novia".

Luego fuimos a Perú, donde nuestro anfitrión misionero tenía una hija uno o dos años menor que yo. Era muy linda. Me enamoré de ella instantáneamente. De repente, no podía recordar la cara de mi "novia".

Cuando llegamos a Santiago de Chile, nos recibieron con una enorme cena. No recuerdo la comida, pero sí recuerdo la joven que se sentó del otro lado de la mesa. Tenía ojos castaños oscuros, largo y hermoso cabello negro y una sonrisa brillante. Su risa compensaba el hecho que no entendiera nada de lo que me decía en español. Hice mis propias traducciones, y resultó ser que todo lo que me dijo era muy halagador en cuanto a mis habilidades y apariencia. Ella no se dio cuenta, pero le entregué mi corazón a medio cenar.

Visitamos cinco países y en pocas semanas me enamoré de cinco jóvenes diferentes aparte de mi novia estadounidense. ¿Qué aprendí? Me di cuenta de que lo que *sentía* no tenía prácticamente nada que ver con el *amor*. Era todo cuestión de química. Podía sentirme atraído a muchas personas distintas, pero eso no era amor. El conmutador del apasionamiento estaba atascado en la posición de "ENCENDIDO".

Para que no pienses que el apasionamiento no es más que un juego emocional inofensivo de los jóvenes, considere el impacto del apasionamiento durante una de esas etapas del matrimonio cuando la vida se ha vuelto difícil o aburrida y el amor conyugal está algo enfriado. Las circunstancias, los cambios y los errores se suman para convertir las relaciones en un emprendimiento laborioso. Cuando las cosas se ponen difíciles en el matrimonio, con frecuencia el dolor parece pesar más que las recompensas. Nace el primer hijo. Después viene otro y hay dos en pañales. El jefe presiona mucho en el trabajo. O los niños llegan a la adolescencia y la vida adquiere un nuevo conjunto de presiones. Sientes que estás gastando todas tus energías en tratar a un hijo rebelde. Los altibajos económicos

> Uno de los efectos secundarios de los momentos desabridos del matrimonio es la vulnerabilidad al apasionamiento.

se hacen sentir en diversos momentos del camino, cada uno con sus propias complicaciones. Cuando el nido queda vacío, descubres que no has cultivado ni avivado tu relación. Durante cualquiera de esas etapas predecibles del matrimonio, las partes emocionales de la relación pueden estar débiles y vacías.

Los compañeros creyentes profundamente comprometidos que se aman no son inmunes a estas etapas. Aun aquellos que tienen un gran matrimonio pueden quedar mal parados en un momento imprevistamente difícil. Uno de los efectos secundarios de los momentos desabridos del matrimonio es la vulnerabilidad al apasionamiento. No eres vulnerable porque seas una mala persona; eres vulnerable porque eres vulnerable. Cuando los sentimientos se han agotado temporalmente en un sentido, es difícil no prestar atención a los sentimientos que vienen de otra dirección. El siguiente panorama puede darse en casi cualquier momento.

Una mujer asiste a un estudio bíblico y camino a casa ve a un hombre en otro auto. Se da la coincidencia de que paran en el mismo café. Como buen caballero, él le abre la puerta y le dice: "Aparentemente estamos en la misma onda. Me hacía falta un café".

Sus miradas se cruzan. Ella sonríe en respuesta a la cortesía y el cumplido. No es gran cosa, pero la amabilidad de él y la reacción de ella indican que existe la química. Durante la próxima semana ella descubre que la oficina de él se encuentra en el mismo edificio que la suya porque se encuentran en el estacionamiento. Él se ríe y dice algo así como: "¿No te conozco de algún lado? ¿Corremos una carrera hasta el café?".

Sus miradas se vuelven a encontrar. El comentario parece inocente, pero para alguien en cierto estado mental, que está pasando por un momento emocional vacío, contiene la promesa de algo lindo. Esa mujer es una cristiana sabia, que conoce a

Cristo profundamente. Razona que jamás haría nada por poner su matrimonio en peligro ni deshonrar al Señor. Pero también es obvia la atracción del apasionamiento. Ella está vulnerable; se siente sola y poco apreciada en casa. Se siente halagada por la atención. Ante la perspectiva de irse a casa a una frialdad familiar, la tentación de la calidez inusitada del café y de un extraño amable es más que interesante. Convencida que esto nunca podría pasar de una amistad superficial, comienza el baile. Lo que está sucediendo es muy natural, lo cual lo convierte en algo muy peligroso.

El hombre, que está bajo mucha presión en el trabajo, corre un peligro similar. A lo mejor está pasando por una etapa de cambios desconcertantes. La inseguridad laboral, los gastos cada vez mayores, los hijos cada vez más grandes y exigentes que parecen consumir toda la energía de su esposa y un matrimonio que se ha vuelto aburrido contribuyen a su vulnerabilidad. No puede recordar la última vez que "hizo el amor" con su esposa. Está frustrado pero no sabe cómo hablar del tema. Ha enterrado el dolor y la desesperación muy dentro suyo. Da todo en el trabajo, trata de ser buen padre y encuentra alivio temporal en un partido de fútbol de tanto en tanto y el deporte los lunes por televisión. De repente, descubre a alguien en el trabajo que parece escucharlo de verdad. Es servicial y alentadora. Reconoce sus esfuerzos, sus destrezas y lo bien que le queda esa camisa. Comienza a esperar el tiempo con ella en la oficina. Se pregunta si sería apropiado, sencillamente a modo de agradecimiento, sugerir que almorzaran juntos algún día. No tendría nada de malo. Él ha sido creyente por 17 años, trabaja en la iglesia y tiene tres hijos. Jamás permitiría que esta amistad pasara más allá... y comienza el baile.

La mayor parte de las aventuras extramatrimoniales no son resultado exclusivo de la atracción física. Por lo general comienzan con algo de química durante un momento de vulnerabilidad. Pero las familias se desintegran porque personas muy buenas y piadosas sencillamente no han aprendido lo que deben hacer en una situación donde de repente es un alivio tan grande dejar escapar algo de ese *eros*. Confunden el apasionamiento con el amor y toman decisiones imprudentes. Esas elecciones aparentemente inocentes y divertidas terminan por destruir a los niños, destrozando algo bueno que sencillamente necesitaba un poco de atención, lanzando a los participantes en lo que resulta ser una serie dolorosa de desilusiones vergonzosas. ¿Con qué frecuencia ocurre esto? Considera el número de familias destruidas que conoces personalmente.

> Si no conoces la diferencia entre el apasionamiento y el amor, destruirás la vida de otros y la tuya propia.

El ciclo vital del apasionamiento es de nueve a dieciocho meses. Entonces desaparecen todas esas sensaciones maravillosas y queda otra persona con las mismas necesidades que tienes tú. Esa persona sabe que no puede confiar en ti porque abandonaste a tu última pareja. Tú sabes que no puedes confiar en ella porque, en el fondo, temes sufrir el mismo tipo de traición que tú mismo llevaste a cabo. Lo que queda son dos personas insatisfechas que luchan con las fallas de su carácter. Si no conoces la diferencia entre el apasionamiento y el amor, destruirás la vida de otros y la tuya propia.

¿Qué calificación obtuviste en la prueba de la exclusividad? ¿De qué manera te has dado cuenta de que es mucho más fácil trabajar en solucionar los problemas de una relación existente donde se mantienen la exclusividad y la fidelidad que crear un nuevo conjunto de problemas con otra persona?

5. *La prueba de la seguridad*

El amor genuino requiere y estimula un sentido de seguridad y sentimientos de confianza. Una persona bajo la influencia del apasionamiento parece tener un sentido de seguridad ciego, basado en lo que le gustaría en lugar de una consideración cuidadosa. El apasionamiento no ve los problemas. Tal vez tenga un sentimiento de inseguridad que a veces se expresa en términos de celos. La seguridad crece y fluye de una conciencia profunda del carácter, los valores y la historia de la otra persona. Tú sabes quién es ella realmente. Cuando sabes quién es, confías en ella. No estás celoso porque sabes que su corazón te pertenece a ti. Con frecuencia los celos son señal de una falta de confianza, y la falta de confianza es una señal del apasionamiento en la vida real.

¿Qué rol desempeñan los celos en tu relación? ¿Cómo describirías el nivel de seguridad que experimentas en tu relación? ¿Cómo afectan los problemas el nivel de seguridad de tu relación? El amor genuino considera todo lo que entraña la relación con la otra persona, no sólo los sentimientos inmediatos o los problemas momentáneos.

6. *La prueba del trabajo*

La persona que ama trabaja para la otra persona, para beneficio mutuo. Por otra parte, la persona bajo la influencia del apasionamiento pierde su ambición, su apetito y su interés por los asuntos cotidianos. Es posible que una mujer verdaderamente enamorada estudie para que su esposo se sienta orgulloso. Es posible que crezca la ambición de un hombre verdaderamente enamorado para planificar y ahorrar para un futuro juntos. Los compañeros del amor genuino tal vez sueñen con el potencial de su relación, pero sus sueños pueden lograrse razonablemente. Las personas bajo la influencia del apasionamiento sólo piensan en su propia angustia. Con frecuencia sueñan con objetivos e ideales poco realistas que ni ellas ni sus parejas podrían lograr. A veces los sueños sustituyen a la realidad y cada individuo vive en su propio mundo imaginario.

¿Alguna vez estuviste con alguien terminalmente apasionado? Solía llegar a tiempo al trabajo y ser muy fiel. Solía ser el tipo de persona con un horario regular y un comportamiento confiable. Si se comprometía a hacer algo, era en serio. Pero cuando le picó el apasionamiento, todo cambió. De repente su vida es un caos. Eso no es amor; eso es daño cerebral. Apasionamiento.

Cuando se ama a alguien, se evalúa la relación honestamente y se trabaja para mejorarla. Si estás en una relación y la otra persona está tan aturdida que no puede hacer nada, sospecha que se trata de apasionamiento. Si sabes que necesitas ahorrar dinero y te estás esforzando por hacerlo, pero la otra persona no, existe el peligro de que no se trate de amor genuino. El apasionamiento se alimenta de la relación; el amor construye la relación.

Cuando se trata de trabajar en la relación y de trabajar para la pareja, ¿qué calificación ("A" o "P") merece tu relación?

---

7. La prueba de la resolución de los problemas

Una pareja verdaderamente enamorada enfrenta los problemas con franqueza e intenta resolverlos. Las personas bajo la influencia del apasionamiento tienden a pasar por alto o ignorar los problemas. Si existen barreras para que se case una pareja verdaderamente enamorada, los integrantes se acercan a esas barreras y las eliminan. Las barreras que no se pueden eliminar pueden ser evadidas con el conocimiento. No entran en el matrimonio a ciegas. Tratan los problemas con decisiones claras y compartidas. Por otra parte, los amigos y parientes de las personas bajo la influencia del apasionamiento pueden llegar a maravillarse de su imprudencia y ceguera.

Unas cuatro o cinco veces al año se me acerca un tipo de pareja que puedo identificar antes de que me hable. Se acercan con un aspecto embobado. Por lo general están tomados de la mano y tropezándose con los muebles porque no pueden dejar de mirarse.

—Estamos enamorados —comienzan a decir.

De ahí es cuesta abajo.

—Nos conocimos ayer, o la semana pasada o hace dos semanas. Dios nos mostró que debemos estar juntos. ¿Podría usted realizar la ceremonia?

—¿Cuándo? —pregunté, tratando de introducir una semblanza de realidad en la conversación.

—Mañana, esta semana, cuánto antes —responden.

—¿Por qué entonces? ¿Cómo se produjo todo esto? —pregunté.

—Bueno, suspira ella, se me cayó la cartera y él me la levantó, y nuestras miradas se cruzaron. Descubrí que su apellido comienza con "s", y yo estuve orando por alguien cuyo apellido comenzara con "s", así que sabemos que viene de Dios.

Antes de que yo pueda expresar mi asombro, ella sigue:

—Lo increíble es que aunque él me lleva 38 años y no estoy segura de que sea creyente, el Señor me ha revelado claramente que él es el elegido. No tenemos una visión en común, pero la descubriremos más adelante. No conozco nada de su familia fuera de que estuvo casado 17 veces. La nuestra sería una familia compuesta, ya que yo tengo 11 hijos y él tiene 7, pero nos amamos. Todo saldrá bien.

Obviamente estoy exagerando, pero se parece bastante a la realidad. ¿Qué es? Es apasionamiento mezclado con la negación clásica y una pizca de locura. Esa relación no está basada en la comunicación, el conocimiento genuino, la geografía, los valores centrales, el compromiso ni una visión espiritual. De hecho, estos componentes esenciales están completamente ausentes. Dicen que se aman y que todo saldrá bien, pero un día despertarán y se darán cuenta que no tenían más que un apasionamiento. El amor genuino, a pesar de lo comúnmente aceptado, no es ciego. Ve muy claramente. Por otra parte, el apasionamiento existe en una oscuridad casi total.

¿Qué capacidad tienen tú y tu pareja para ver los problemas y solucionarlos? ¿Pasan por encima de los temas difíciles de la relación o los encaran de frente? ¿Qué obstáculos y barreras han enfrentado y vencido en su relación?

---

8. La prueba de la distancia

El amor conoce la importancia de la distancia. El apasionamiento imagina que el amor es la cercanía intensa y permanente. Con frecuencia aconsejo a los novios que vayan en un viaje misionero de corto plazo o que aborden un proyecto que requiera que trabajen solos. Si las circunstancias exigen la separación temporal de la persona amada, aprenderás mucho acerca de la calidad de tu relación. En términos de distancia, si estás en una relación a largo plazo y se llaman tres, cuatro o cinco veces al día, o si tienen que verse todos los días, no es buena señal. Significa que están tratando de mantener la reacción química. Si no existe un sentido de individualidad, de una vida definida, de relaciones con otras personas y un equilibrio sano, es probable que la relación tenga mucho más de apasionamiento que de amor.

Una de las mejores cosas que pasó durante mi noviazgo con Theresa fue un viaje a las Filipinas que duró seis semanas. Participé en otro campeonato de básquet. Todos los días jugábamos un partido por la mañana y un partido por la noche. Manejábamos de partido a partido rodeados de arrozales con montañas volcánicas a la distancia. Los lugares donde parábamos con frecuencia eran poco más de un par de edificios de cemento en medio de una aldea de techos de paja. Pasaba una hora con Dios todas las tardes pidiéndole que me guiara y me enseñara su Palabra. Le pedí que me frenara en las cosas que necesitaban frenarse y que me liberara en las cosas que necesitaban seguir adelante. Le dije a Dios que quería convertirme en la persona correcta para Theresa. Mi amor creció más durante esas seis semanas de separación de mi futura esposa que cuando tomaba café con ella o estábamos juntos la mayor parte del tiempo. Porque el amor genuino no se basa sólo en las emociones; la distancia, con frecuencia, permite ver lo que realmente está en el corazón.

> Porque el amor genuino no se basa sólo en las emociones; la distancia, con frecuencia, permite ver lo que realmente está en el corazón.

¿Cómo maneja tu amor la distancia? ¿Tiendes a ponerte ansioso o a frustrarte cuando no pueden estar juntos todo el tiempo? ¿Qué te ha enseñado la distancia de tu amor?

9. La prueba de la atracción física

La atracción física es una parte relativamente pequeña del amor genuino, pero es el enfoque central del apasionamiento. No cometas el error de cambiar "es una parte relativamente pequeña" a "no es parte" en lo que acabo de decir. Si tu corazón no se acelera de vez en cuando y no sientes una atracción verdadera por tu pareja o por la persona con la cual te piensas casar, yo diría que tienes un problema. No hagamos del amor genuino algo tan espiritual que neguemos la realidad y la Palabra de Dios. La atracción sexual tiene un lugar definido en el amor.

Ya he dicho que nuestra cultura magnifica la atracción física y la convierte en el propósito principal del amor. Nuestra cultura nos dice que tomemos el camino más corto y más rápido hacia la realización sexual para hallar el amor. Pero es un desvío destructor. Cuando se dejan de lado los otros dos componentes esenciales del amor sacrificial y del amor amistoso, se pierden muchos de los aspectos que completan y hacen durar la atracción física. El amor genuino requiere los tres tipos de amor, pero la atracción física desempeña un rol relativamente menor cuando la pareja está construyendo una relación sana. Por su parte, el apasionamiento hace de la atracción física la prueba central del amor.

He observado una característica importante de las parejas genuinamente enamoradas. Para ellas, todo contacto físico tiende a tener un significado especial además del placer. Las parejas suelen comunicar volúmenes con la mirada. Tienden a expresar lo que sienten el uno por el otro. En el apasionamiento, el contacto físico directo y continuo tiende a ser el fin por sí mismo. El tiempo que pasan juntos exige sólo experiencias agradables. El apasionamiento tiende a producir una relación que intenta existir con el equivalente emocional de una intoxicación constante.

Se nos ha lavado el cerebro para creer que la atracción es la prueba más segura de estar verdaderamente enamorado. En realidad, el sentirse atraído a alguien no significa estar enamorado. Sencillamente, significa que la persona que nos atrae es linda. Hay una respuesta química y algo dentro de nosotros dice: ¡*Ah!* Ya he comprobado que si encontramos a cuatro o cinco personas atractivas el mismo día o en distintos momentos, esa misma vocecita también dirá: ¡*Ah!* Eso no es amor. Sencillamente, estamos ejercitando nuestra capacidad impredecible de apasionamiento. En lugar de reconocer lo que son esos sentimientos, la gente opta por involucrarse físicamente con personas virtualmente extrañas. En cuanto la persona se involucra física y emocionalmente, se evapora su capacidad para pensar clara y objetivamente. Esto produce relaciones muy inestables. Por otra parte, las personas genuinamente enamoradas no están tratando de realizar su propia lascivia. Sus palabras y sus acciones comunican al otro que busca lo mejor para él. Los componentes físicos entran en la relación cuando pueden comunicarse claramente. Eso significa, por ejemplo, que la mujer comienza a tomar de la mano al hombre en una relación para comunicarle que se está desarrollando la confianza. Es llevar la relación a un nivel más profundo que el de la mera amistad. Cuando se besa a alguien, hay un significado que va más allá del acto físico. Las preguntas no deberían ser: "¿Cuándo se comienza a besar: la primera, segunda, novena o décima vez que se sale?"; ni: "¿hasta dónde puedo llegar?"; ni: "¿cuándo puedo satisfacer mis necesidades egoístas y tener una experiencia agradable que me haga sentir bien?". Esa es una perspectiva muy limitada y no es amor. La verdadera pregunta es: "a medida que tomamos cada paso en la cadena del acercamiento físico, ¿qué estamos descubriendo y comunicando acerca de nosotros y de nuestro compromiso mutuo con Dios y con el otro?".

Lo que vemos hoy en día es todo lo contrario. La gente se acerca físicamente antes de conocerse y luego trata de sortear todos los obstáculos. Los resultados son desastrosos. La gente resulta herida. Las relaciones se desintegran. La gente aprende a desconfiar, perdiendo la base necesaria para que el amor crezca.

Más adelante en el libro vamos a hablar de la diferencia entre el sexo y el amor. Tenemos la tendencia a equipararlos. ¡Es un error! El sexo es maravilloso. El amor es maravilloso. Pero no son lo mismo. Cada uno tiene su lugar en la relación.

¿Cuántos aspectos positivos y gozosos puedes nombrar que no tengan nada que ver con la atracción física ni con la proximidad en tu relación? Además de la atracción física, ¿cómo diría tu pareja que sabe que tú la amas?

10. La prueba del afecto

En el amor, el afecto se expresa más adelante en la relación, y entraña la expresión externa de la atracción física que acabamos de describir. En el apasionamiento, el afecto se expresa antes, a veces al principio. El afecto tiende a empujar hacia una intimidad física cada vez mayor. Sin el control de los otros aspectos del amor genuino, el afecto se agota rápidamente. Tiene la apariencia de una relación "íntima", pero la intimidad es artificial y frágil. Cuando el afecto surge de un entendimiento profundo y de una amistad cada vez mayor, va creciendo en significado y valor.

Puesto que es probable que tu pareja experimente el sentirse amado de manera distinta que tú, ¿en qué media usan tú y tu pareja el afecto para demostrar que comprenden la necesidad del otro? En su relación, ¿cómo el afecto se equilibra con el amor amistoso y con el amor sacrificial?

11. La prueba de la estabilidad

El amor tiende a perdurar. El apasionamiento puede cambiar repentina e impredeciblemente. En el apasionamiento, el viento sopla de un lado y estás enamorado. Sopla del otro y estás enamorado. No es así con el amor genuino. El amor verdadero es estable. Hay compromiso. Diré más sobre el tema más adelante. Por ahora, es difícil aplicar la prueba de la estabilidad a una relación que se mide en términos de días o semanas. ¿Cómo se prueba la estabilidad? La sociedad sugiere que la probemos viviendo juntos. Por razones que examinaremos más adelante, vivir juntos en realidad promueve la inestabilidad en lugar de la estabilidad.

La mejor manera de probar la estabilidad en una relación nueva es conocer a la persona en el contexto de sus relaciones. ¿Cómo es en relación a sus padres, sus amigos y sus hermanos? Francamente, alguien que ha estado casado más de una vez debería esperar que se lo pruebe con calma y seriedad en cuestión de estabilidad.

Tal vez una de las primeras y mejores preguntas al pensar en la estabilidad de la relación sea la siguiente: ¿cómo le mostraría yo a mi pareja que he desarrollado la característica de la estabilidad en mis relaciones? ¿Cuál es tu historial relacional? ¿Cuál es el de tu pareja? ¿Hay un patrón que genera confianza o advertencias?

---

12. *La prueba de la satisfacción demorada*

Una pareja genuinamente enamorada no es indiferente a la fecha de la boda, pero no siente un impulso irresistible hacia ella. La pareja bajo la influencia del apasionamiento tiende a sentirse impulsada a casarse inmediatamente. La postergación es intolerable. ¿Por qué? ¿Por qué no puede esperar la pareja para hacerlo en el momento debido y de la manera debida? ¿Por qué no querría la pareja tratar los temas reales para tener un matrimonio sólido? Estas preguntas revelan la diferencia entre el amor y el apasionamiento.

Las parejas bíblicas nos ofrecen un contraste agudo entre los dos enfoques: por un lado, Amnón y Tamar (cuya historia se relata en 2 Samuel 13), y, por el otro, Jacob y Raquel (cuya historia se encuentra en Génesis 29:1-20).

Amnón representa el tipo que no puede esperar. Estaba consumido por el apasionamiento; estaba obsesionado por Tamar. Cuando tomó por la fuerza lo que pensaba que quería; su "amor" por Tamar se desvaneció como humo. No podía esperar y causó la destrucción de su propia vida y la de Tamar. Jacob se sintió atraído a Raquel casi de inmediato. Sin embargo, tuvo que trabajar siete años antes de poder casarse con ella. Son cinco años más que el ciclo vital típico del apasionamiento. ¿Crees que su amor entendía la estabilidad y la satisfacción demorada? La Biblia dice que los siete años "le parecieron como unos pocos días". ¿Por qué? "Porque Jacob la amaba". No se trataba de sus necesidades lascivas; se trataba de algo por lo cual realmente valía la pena esperar.

Cómo usar las doce pruebas

¿Cómo te fue en las pruebas? ¿Deseabas poner la "A" de amor junto a la mayor parte de los puntos de la prueba pero te viste forzado a admitir, como la mayor parte de nosotros, que debías poner la "P" de apasionamiento junto a varios de ellos? ¿Verdad que es sorprendente la influencia de Hollywood en el pensamiento tuyo y mío? Espero que estas pruebas no te hayan desanimado, sino que hayan sido un proceso que te ayudó a ver más claramente las diferencias entre el amor y el apasionamiento. Estas pruebas seguirán brindándote ayuda en tus relaciones actuales, las futuras y tu matrimonio.

Voy a compartir un secreto. Ahora que estamos en nuestra tercera década de matrimonio, una de las cosas sorprendentes acerca de mi relación con mi esposa es que me sigo enamorando de ella. De hecho, cuanto más y mejor la amo, tanto más descubro que las sustancias químicas del cerebro funcionan de maneras que nunca hubiera podido predecir aun hace diez años. No se trata de enfrentar el amor y el apasionamiento, sencillamente deseamos entender la diferencia para poder disfrutar de cada uno en el lugar especial que ocupa dentro de la relación. El amor en una relación duradera no es una larga y paulatina declinación a partir del pico de nuestro gran romance inicial. El amor duradero se parece más a estar parado donde se unen el océano y la playa, en donde las olas siguen llegando. No todas las olas de emoción son iguales, y eso resulta muy interesante y estimulante. Hacen falta tiempo y compromiso para descubrir la maravilla de una relación duradera. Es cierto que las olas y las mareas menguan y fluyen. Pero cuando sabemos lo que verdaderamente es el amor, también sabemos que las olas y la marea regresan. ¡De modo que nos quedamos en la playa! Aprende a "leer las olas". Enfrenta los problemas relacionales y disfruta los sonidos y las pasiones variadas del oleaje estruendoso o suave. ¡Hay demasiadas personas que se alejan de las relaciones sin haber llegado siquiera a mojarse los pies!

Permíteme decir, usando una imagen similar, que muchas personas cometen el error de pensar que el verdadero amor es como una piscina; es decir, algo en lo cual caen o se tiran. En lugar de vivir la dinámica y variada experiencia del amor oceánico, se tiran en el extremo profundo de la piscina, creyendo que los sentimientos fuertes, el aturdimiento y la atracción física deben ser señales seguras del amor. Tarde o temprano descubren que un gran *deseo* de nadar no significa mucho si nunca han *aprendido* a nadar. No nos convertimos en grandes nadadores mirando películas acerca de grandes nadadores. Pero si el deseo de nadar se traduce en una seriedad para tomar lecciones de natación, podremos lograr la emoción de flotar y el gozo de poder desplazarse sobre el agua que puede brindar la natación (y el amor genuino). Piensa en los detalles y las lecciones que has estado aprendiendo en este libro como "lecciones de natación" para poder disfrutar del amor.

Éste es mi aliento personal, de corazón, para cada persona soltera que lee estas palabras: Decide que vas a basar tu vida en algo más que las apariencias y los avisos. Por tentador que sea lanzarse a las relaciones sin pensarlo de antemano, detente lo suficiente como para preguntarte si realmente deseas los resultados de la fórmula de Hollywood o si deseas contarte entre aquellos que persiguen la aventura de construir el amor a la manera de Dios.

Ya he dicho numerosas veces que no es una decisión fácil. Significa ir en contra de una tendencia poderosa y frecuentemente invisible. Pero te aseguro que los que siguen la receta de Dios pueden dar fe de resultados inmensurablemente mejores que los que el mundo ofrece.

¿Cuál es el próximo paso? Los próximos dos capítulos tratan uno de los asuntos más importantes de la vida y del amor a la manera de Dios. Estamos confundidos acerca de las diferencias entre el amor y el sexo. Hemos olvidado cómo y cuándo se unen. Como veremos, ¡se produce una gran diferencia cuando se puede distinguir entre el amor y el sexo!

Evaluación personal

1. Cuando repasas las doce pruebas para reconocer el amor, ¿cuáles tres te resultan más fáciles de poner en práctica en una relación?

2. ¿Cuáles tres pruebas indican que algunos aspectos de tu relación están arraigadas en el apasionamiento en lugar del amor genuino?

3. ¿Cómo te ayudan estos doce factores medibles y cuantificables a evaluar tus relaciones actuales (o futuras)?

4. ¿Cuál prueba representa el mayor desafío personal a tu forma de pensar acerca de "estar enamorado"? ¿Qué pasos específicos podrían ayudarte a vencer ese desafío?

2. ... ...
... ...

3. ... ...
... ...

4. ... ...
... ...

6

Amor y sexo:
un mundo de diferencia

Ahora que hemos considerado las diferencias entre el enamoramiento y el apasionamiento, estamos listos para considerar la parte más riesgosa del delicado asunto de enamorarse. Los que no se toman el tiempo de entender la diferencia entre el amor y el sexo descubren muy a su pesar que las diferencias importan. Vivimos en una cultura saturada de sexo. Pero los mensajes y las impresiones que nos llegan de nuestro entorno se transforman cuando intentamos vivir de esa manera. La sexualidad no es, de ninguna manera, algo sencillo. El amor es complicado. Las relaciones se vuelven engorrosas. Si no entendemos la diferencia entre el amor y el sexo, estamos destinados a arruinar ambos.

La historia de Miguel y Laura

Los doctores Les y Leslie Parrott, en su libro *Relationships* (Relaciones), describen una experiencia tristemente típica de una joven pareja que llaman Laura y Miguel. Estos dos universitarios, vagando en el mundo algo irreal del estudio, pasaban horas a solas mirándose, estudiando, hablando, insensibles al resto del mundo. Varios meses después de entablar su relación ocurrió un hecho memorable. Una noche, llegaron tarde al departamento de Miguel, y Laura descubrió que estaban solos. Miguel vio esta intimidad como si supiera que Laura había estado esperando este momento.

De inmediato, Miguel comenzó a besarla apasionadamente, susurrando acerca de su belleza y de su deseo intenso de conocerla completamente. Declaró su amor repetidamente y dijo que quería que se demostraran cuánto amor compartían. Es evidente que lo que él tenía en mente era más de lo que ella estaba preparada para enfrentar esa noche. Después de oír la historia de ella, los Parrott describieron la agitación de Laura en esos momentos:

> La mente de Laura empezó a dar vueltas... mientras él la conducía a su habitación. Más adelante nos dijo: "Miguel creyó en mí cuando ningún otro lo hacía. Yo no pensaba tener relaciones esa noche pero sabía que era probable que nuestra relación acabaría si no teníamos esa intimidad pronto". Durante los próximos meses Laura estaba obsesionada con Miguel o, en sus propias palabras: "Él era lo único que le importaba". Las relaciones sexuales pronto se convirtieron en parte de todas sus salidas. Pero cuando Laura empezó a hablar de cambiar sus planes para el verano para estar con Miguel, la pasión de él se extinguió

rápidamente... No fue ninguna sorpresa que Laura y Miguel dejaran de salir antes de que terminara el año[1].

La historia de Laura refleja millones de historias similares. Las estadísticas indican que hasta el 83 por ciento de las jóvenes no planearon ni previeron su primer encuentro sexual[2]. Aparentemente, la mayor parte de estas mujeres se sintieron presionadas por las circunstancias o tan envueltas en el momento de pasión que no pudieron detenerse. Nota la confusión de Laura en el momento de tomar la decisión. Cedió al deseo de Miguel porque razonó que "era probable que nuestra relación acabaría si no teníamos esa intimidad pronto". Sigue la lógica de Laura cuidadosamente: "Amo a Miguel. Debo satisfacer sus deseos sexuales o perderé esta relación". No hizo una distinción entre el amor y el sexo. ¡Su premisa era que las relaciones sexuales mantendrían vivo el amor! El sexo se convirtió en una ficha de regateo en la relación, tal vez la más importante. Su confusión la llevó a una mala decisión. Hizo algo que no estaba preparada para hacer porque pensó que estaba menos preparada para arriesgar el fin de la relación diciendo que no.

Escogí la historia de Laura y Miguel porque, al igual que cada historia relacional, tiene dos aspectos. Los Parrott también entrevistaron a Miguel y descubrieron algunas diferencias interesantes en su perspectiva de la relación con Laura.

Para Miguel, los primeros cuatro meses de la relación habían producido un gran acercamiento en el cual podían hablar de cualquier cosa. Los dos compartieron cosas muy dolorosas de su pasado. Para él, el hecho de compartir significaba que sentían algo muy profundo el uno por el otro. Junto con las conversaciones íntimas, compartieron largos episodios de intimidad física intensa y placentera sin consumarse sexualmente. Miguel admitió que había pensado en la posibilidad de tener relaciones sexuales y que deseaba hacerlo, aunque nunca habían hablado del tema directamente. Supuso que sería una fase más de su relación que sería producto natural de su amor. Confesó que empujó la relación en esa dirección con flirteos, sugiriendo, por ejemplo, que sería divertido bañarse juntos. Laura sencillamente se reía. Miguel no interpretó que su reacción fuera negativa. De hecho, los Parrott dicen:

> Estas charlas nebulosas y el flirteo hicieron que Miguel pensara que a medida que se enamoraran, las relaciones sexuales serían una expresión natural de su amor. Miguel dijo: "A mi modo de pensar, las relaciones sexuales son una forma de expresar sentimientos que no se pueden expresar con palabras. Yo no busco una relación pasajera; no me meto en la cama con cualquiera". Nos dijo que para él era importante "honrar" a las mujeres y que nunca "usaría" a una mujer sólo para tener relaciones sexuales. Él agregó: "Es raro. Cuando Laura empezó a cambiar sus planes para el verano sólo para estar conmigo, empecé a sentirme asfixiado"[3].

Al igual que Laura, Miguel tenía una explicación para sus acciones: si realmente se ama a alguien, las relaciones sexuales son la expresión natural de ese amor. No veía ningún compromiso implícito ni duradero en las relaciones sexuales. Sencillamente, significaban cruzar el próximo puente en un peregrinaje cuyo destino no estaba listo para considerar. No estaba preparado para el nuevo mundo que descubrió al cruzar el puente de las relaciones sexuales. El hecho de cruzar ese puente lo obligó a considerar un compromiso para el cual no estaba preparado.

La investigación indica que una vez que una pareja no

comprometida entra en el área de las relaciones sexuales, por lo general, comienza el fin de la relación. Han llegado al final superficial de los aspectos físicos de la relación y no tienen ninguna razón apremiante para explorar sus profundidades. A diferencia de la premisa de Laura, el mensaje de Miguel era: el amor santifica las relaciones sexuales. En otras palabras, si la pareja cree que se ama, está bien tener relaciones sexuales, aun sin casarse. Perdió la joven que amaba porque las relaciones sexuales cambiaron completamente la dinámica de su relación. Él no estaba preparado para el tipo de compromiso que el hecho de tener relaciones sexuales significaba para ella. Ella cruzó el puente de las relaciones sexuales con la intención de vivir del otro lado. Él quería seguir cruzando el puente sin comprometerse. Laura pensaba que había que tener relaciones sexuales para obtener amor, y que darse sexualmente haría continuar la relación. Estaba equivocada. Miguel pensaba que la manera natural de expresar el amor era la intimidad sexual, con o sin compromiso. Estaba equivocado.

He aconsejado a muchos jóvenes como ellos a través de los años, y he compartido sus lágrimas de dolor. Su historia es tan común. Me asombra la frecuencia con la que se repite entre creyentes y quienes no lo son en una relación tras otra. He mirado los ojos de innumerables parejas, jóvenes y mayores, que han transitado el camino de enamorarse, compartir profundamente, tener relaciones sexuales y luego separarse. Suponen, equivocadamente, que el problema era la otra persona en lugar de una concepción errónea fundamental de ambos acerca del impacto que tienen las relaciones sexuales en una relación. Aunque todo parezca estar bien en el área sexual, veremos que las decisiones sexuales pueden acarrear consecuencias a largo plazo que merecen nuestra atención.

Otro tipo de historia

La consejera Paula Reinhart escucha silenciosamente. En dos sesiones se entera de los efectos a largo plazo de vivir muchos años con la fórmula de Hollywood para el *amor*, el *sexo* y las *relaciones duraderas*. Mientras lees estos relatos, piensa cuidadosamente en el impacto que puede tener en nuestro futuro la incapacidad para distinguir entre el amor y el sexo.

Durante su primera sesión del día, Paula escucha el relato de una mujer que tiene apenas 20 años pero parece cargar toda una vida en sus hombros. Llega llena de resentimiento porque cree que debería poder manejar las cosas por su propia cuenta. Confiesa que su vida es un desastre. Su novio actual es insensible y su padre divorciado se ha casado con una mujer que ella no soporta. Mientras describe estas relaciones, pondera el lugar de Dios en su vida. En un intento por avanzar en la discusión de su situación actual, Paula le hace varias preguntas acerca de la relación con el novio, incluidas las relaciones sexuales. La muchacha contesta un poco molesta por la pregunta, que sí comparten la intimidad sexual; y luego reflexiona sobre su historia referente al aspecto sexual. Finalmente, habla de cuando perdió la virginidad.

—No quería tener una mala experiencia al perder mi virginidad, como algunas de mis amigas, así que encontré un muchacho que conocía pero por el cual no sentía nada especial, y tuve relaciones con él. De esa manera podía pasar la experiencia de una buena vez.

—*¿Tu virginidad era algo que querías perder "de una buena vez"?* —afirmó Paula.

—Claro, así podría disfrutar más de las relaciones sexuales con los muchachos que realmente me importaban.

Estas palabras explican su lógica, muy distante de la mía, pero muy representativa del mundo sexual de su generación. En muchos casos, perder la virginidad es una iniciación ritual a las relaciones y a la vida sexual, donde, aparentemente, todas las personas viven felices[4].

Luego Paula describe una segunda cita ese mismo día con una mujer llamada Margarita, que es una década mayor que la primera. El estilo de vida que parece tan informal, sensual e infinito a los 20 ha adquirido un matiz distinto a los 30.

La cartera personal de Margarita incluye un marido, hijos, un empleo y una dificultad subyacente que espera resolver con la ayuda de Paula. Margarita no siente deseos de tener relaciones sexuales. Ama a su esposo pero le es casi imposible forzarse a compartir la intimidad sexual con él. Su falta de interés causa fricción que desborda en otras áreas de su vida. Informa que muchos de los argumentos que tiene con su pareja son expresiones ligeramente encubiertas de la frustración con su vida sexual. Quiere ayuda. Paula decide que necesita descubrir más acerca del pasado de esta mujer.

Empiezo a sondear su historia sexual y descubro que comenzó a tener relaciones sexuales a los 16 años, con hasta 10 hombres, uno de los cuales es ahora su esposo. Pero eso está en el pasado... Ha reformado su vida. No entiende por qué su pasado, aún con múltiples parejas, debería afectar su experiencia sexual actual. Le pregunto: "¿Imaginas lo que habría sido sentirte tan querida por un hombre, ser tan especial que deseara proteger tu inocencia?...".

Las lágrimas se deslizan por sus mejillas, el mejor indicador del sentimiento de pérdida que tiene al conectar su promiscuidad temprana con el aburrimiento que siente ahora[5].

En cada una de las historias relatadas, las personas estaban confundidas acerca de la diferencia entre amor y sexo. Cuando la primera mujer era adolescente, la virginidad era un inconveniente casi vergonzoso que debía ser eliminado rápidamente para que las relaciones sexuales pudieran convertirse en un aspecto habitual de sus relaciones, con un significado aproximadamente equivalente a darse la mano. Se pregunta por qué, a los veinte años, la vida es mecánica, impersonal, carente de sentido. Mientras tanto, la treintañera que podría ser su hermana mayor dice: "Ahora soy cristiana y mi sexualidad es parte de mi vida pasada que deseo olvidar. Me harté de las relaciones sexuales como de las golosinas. Ahora casi no las soporto. El hecho de que las relaciones sexuales sean muy importantes para mi esposo me confunde".

> Si no entendemos la diferencia entre amor y sexo, estamos destinados a fracasar tanto en nuestras relaciones como en nuestra sexualidad.

Estas dos mujeres tienen mucho en común con Laura y Miguel. También tienen mucho en común con otros adultos de nuestra cultura. No conocen la diferencia entre amor y sexo. Su experiencia nos proporciona al menos una advertencia clara: si no entendemos la diferencia entre amor y sexo, estamos destinados a fracasar, tanto en nuestras relaciones como en nuestra sexualidad.

Explorando las diferencias

Exploremos juntos las diferencias entre el amor y el sexo. Ya hemos descubierto que una fuente de información debe ser alguien más sabio que otro ser humano confundido. El que creó el amor, el sexo y a nosotros debe ser la mejor guía para entender lo que nos resulta confuso. ¿Qué contesta Dios cuando le preguntamos sobre su perspectiva de la diferencia entre el amor y el sexo?

Creo que Dios sonríe pacientemente y contesta: "¿Se fijaron en lo que escribí en mi libro? ¿Prestaron atención a mi receta?".

Entiendo que muchas personas que leen este libro no están muy familiarizadas con la Biblia, de modo que quiero compartir algo personal antes de continuar. No fui criado con un alto concepto de la Biblia. Por cierto, no busqué respuestas allí. No asistía a la iglesia. De hecho, no abrí una Biblia hasta los 18 años de edad. Hasta entonces, para mi, la palabra "cristiano" sencillamente significaba una persona que no se divertía y que era hipócrita. Esa era mi experiencia personal. Por eso entiendo que las personas sientan cierta reserva en cuanto a consultar la Biblia para consejos sobre la vida sexual. La gente tiene tantas ideas distorsionadas que supuestamente creen vienen de la Biblia, que las defensas se yerguen automáticamente en cuanto se menciona la Palabra de Dios. Otras personas no pueden creer que un libro escrito hace por lo menos 20 siglos pueda tener relevancia hoy.

Son inquietudes justas. ¿Puede un libro antiguo tener validez hoy? ¿Tenía algo para decir en el primer siglo que pueda aplicarse a nuestros días? Permíteme contarte un poco de historia que a lo mejor te sorprenda. A pesar de lo que hayas oído, no vivimos en una cultura que sea más saturada de sexo en la historia. De hecho, la cultura en la cual vivimos está muy influenciada por la ética judeo-cristiana. Tú y yo hemos sido profundamente afectados por algunos poderosos valores morales que moldearon la evolución de nuestra cultura. Los problemas que estamos viviendo en muchas áreas, en realidad son el resultado de que algo que es bueno se está deshaciendo lentamente. Como cultura, estamos olvidando algunas verdades importantes que supimos aceptar inconscientemente, del mismo modo que ahora aceptamos la fórmula del amor de Hollywood. Hace tan sólo 50 años, teníamos una noción muy diferente del compromiso conyugal. Todavía no se había inventado la fórmula de Hollywood.

Ciertos períodos y culturas a lo largo de la historia han establecido un nivel de inmoralidad muy bajo. El mundo que primero recibió las buenas nuevas de Cristo era un desastre en cuanto a la comprensión del *amor*, el *sexo* y las *relaciones duraderas*. En comparación con los antiguos, tenemos buenos motivos de esperanza. Más que cualquier otra cosa quiero ofrecer esperanza.

Ya hemos visto algunos versículos importantes en el capítulo 5 de Efesios. El apóstol Pablo escribía a cristianos en una ciudad que fácilmente le ganaba en pecado a cualquier ciudad que pudiéramos mencionar hoy en día. Las relaciones sexuales eran tan informales que no se consideraban pecado en ninguna de sus manifestaciones. Éfeso, al igual que muchas ciudades antiguas, era anfitriona de una religión centrada en el sexo. Aunque se esperaba que los hombres tuvieran esposas e hijos como parte de una vida respetable, su vida diaria distaba mucho de ser respetable. En el centro de Éfeso, al igual que en Atenas y Corinto, había grandes templos, frecuentemente dedicados a la adoración de diosas de fertilidad. En Éfeso, la deidad se conocía con el nombre de Artemisa o Diana. Su templo es considerado una de las siete maravillas del mundo antiguo. Dentro de él florecía un enorme burdel religioso. La adoración consistía en actos sexuales con cientos de "sacerdotisas", quienes eran escogidas como se escoge la carne en el mercado. La disponibilidad para tener relaciones sexuales, para los hombres, mañana, tarde y noche era una realidad. El ciudadano varón de Éfeso tenía una concubina pública, una amante secreta para el placer y las relaciones sexuales en el templo en cualquier momento. A las mujeres se las usaba, abusaba y abandonaba.

Dada esta situación, es sorprendente que la gente de esa cultura fuera la primera en recibir las instrucciones de Pablo acerca de la diferencia entre el amor y el sexo, y las relaciones genuinas. El mensaje era tan revolucionario como si Pablo hubiera estado fomentando el derrocamiento del imperio romano. Estaba susurrando en contra de un ventarrón de hábitos culturales, como si nosotros nos atreviéramos a vivir de maneras que contradicen nuestra cultura actual. La gente usa los mismos argumentos que oían los cristianos antiguos cuando practicaban el amor a la manera de Dios. Por ejemplo, tenemos el siguiente comentario de Cicerón en uno de sus famosos discursos: "Si alguien cree que se les debe prohibir este tipo de amor a los jóvenes, es muy severo". En la época de Pablo la gente pensaba que era imposible e indeseable imponer cualquier tipo de restricción personal. Ni siquiera se consideraba la idea de apreciar y amar a la mujer. Ella era una propiedad. ¿Qué proponía Pablo? Promovía un nuevo paradigma de virtud: el valor de la castidad, la virtud de que a un hombre le importara tanto una mujer que estuviera dispuesto a protegerla, apreciarla y amarla, no sólo usarla.

¿Qué dijo Pablo acerca del sexo?

En Efesios 5:3, 4, el apóstol Pablo nos presenta una imagen de los resultados negativos que ocurren cuando no "andamos en amor" o no entendemos la diferencia entre el amor y el sexo.

Pero la inmoralidad sexual y toda impureza o avaricia no se nombren más entre vosotros, como corresponde a santos; ni tampoco la conducta indecente, ni tonterías ni bromas groseras, cosas que no son apropiadas; sino más bien, acciones de gracias.

El mandamiento al principio de estos versículos cubre todas nuestras relaciones. Debemos negarnos a tomar, explotar, abaratar, defraudar o sustituir la actividad sexual por el amor genuino y la intimidad auténtica. Para entender este paradigma, debemos recordar que el sexo no es malo y que Dios no es un mojigato. La sexualidad no es un pecado que debe ser evitado sino un don que debe ser apreciado.

Tú y yo deseamos una intimidad genuina. Queremos tener relaciones que importan. Anhelamos que alguien se sienta profundamente amado por nosotros. También deseamos ser amados, apreciados y cuidados por otro. Ya hemos visto que la manera de alcanzar esta meta incluye "andar en amor". Ahora debemos considerar cómo es no andar en amor. En los versículos recién citados, Pablo dice que ciertas cosas apagan y destruyen el amor y quiebran las relaciones. Son advertencias fundamentales. Si vamos a amar a alguien, no tomaremos, explotaremos ni abarataremos a esa persona. No participaremos de la actividad sexual para crear una seudo intimidad que es definitivamente falsa, porque en el fondo esto demostraría que esa persona no nos importa y que no tenemos un compromiso serio con ella. No sustituiremos la relación sexual aislada por la intimidad auténtica.

Ciertas palabras en estos versículos merecen atención adicional: *inmoralidad, impureza* y *avaricia*. La primera viene de la palabra griega *porneía*, de donde viene la palabra *pornografía*. *Porneía* se refiere a cualquier complacencia sexual fuera de la relación permanente del matrimonio. Significa tratar de satisfacer el apetito sexual de tal manera que todo el énfasis se centra en el placer propio en lugar de centrarse en la integridad de la otra persona. La palabra *inmoralidad* describe una amplia gama de comportamientos fuera de los límites del mandato de Dios de "andar en amor". Por un lado, se utiliza este término para declarar que la actividad homosexual está fuera de los límites de andar en amor. Por otro lado, se utiliza la palabra para decir a los solteros que las relaciones sexuales antes del matrimonio están fuera de los límites. Para una persona casada, significa que las relaciones sexuales con cualquier persona que no sea su cónyuge está fuera de los límites. *Porneía* cubre toda la actividad sexual que no sea entre una mujer y un hombre, dentro de los límites del matrimonio y nos advierte de no ir por ahí. ¿Por qué? No porque no parezca divertido o emocionante, sino porque va en contra del amor y es una violación directa de la buena receta de Dios para las relaciones sanas. No produce ni entrega lo que pregona o promueve.

La próxima palabra, *impureza*, significa cualquier complacencia del sexual a expensas de otra persona. Describe la conducta sexual que defrauda, usa o manipula a otro. Impureza se refiere a actitudes sexuales que niegan la dignidad y el respeto por la otra persona. La impureza significa la contaminación del alma. Una persona que practica la impureza sexual encuentra maneras de usar cada parte de la vida que puede ser vehículo del bien y expresión de amor de tal manera que se convierte en algo sucio y vergonzoso. La impureza sexual hace que la gente deje suciedad inmoral en todo y en todos con los cuales entra en contacto.

La tercera palabra, *avaricia*, en este contexto no se refiere tanto a la codicia monetaria sino más bien a la codicia sexual. Describe la lascivia que consume paulatinamente a la persona.

En su peor aspecto, esta actitud considera a los demás como objetos a ser explotados para el placer personal sin considerar el daño que causa. La avaricia remueve todo sentido de restricción a la inmoralidad y la impureza.

Estas palabras se aplican no sólo a nuestra conducta y nuestras acciones sino a nuestros pensamientos. La inmoralidad, la impureza y la avaricia con frecuencia se desarrollan en privado. La costumbre de entrar a la Internet o participar indirectamente de relaciones sexuales ilícitas por medio de novelas románticas y diversas formas de pornografía tiende a deslizarse a nuestro lenguaje. Nuestros chistes, insinuaciones y lenguaje sugestivo revelan una vida interior entenebrecida. Cuanto más pensemos de cierta manera, tanto más hablaremos y actuaremos de esa forma.

¿Recuerdas lo que dijo Jesús?: "Pero yo os digo que todo el que mira a una mujer para codiciarla ya adulteró con ella en su corazón" (Mateo 5:28). Jesús también describió nuestra vida interior como un cofre lleno de bien o de mal. Nuestras relaciones consisten en lo que ofrecemos a otras personas de nuestro tesoro interior (ver Lucas 6:45). Jesús nos dice que nuestro corazón, nuestra mente, nuestra atención deben ser puros. ¿Por qué? Porque cada vez que dejamos la protección de la receta de Dios, ya sea en nuestra mente, en nuestras palabras o en nuestros hechos, actuamos sin amor. Son actos de consumir, tomar, explotar y abaratar una relación. Ninguna mujer quiere estar con su marido cuando éste tiene la mente en las imágenes que consiguió en la Internet. Ningún hombre quiere estar con su mujer si su mente está consumida por fantasías alimentadas por novelas románticas. La inmoralidad, la impureza y la avaricia sexual socavan y destruyen las relaciones amorosas consideradas e íntimas. Estas prohibiciones gráficas y fuertes no son meras reglas para guardar sino fronteras para nuestra sexualidad que nos protegen de querer separar las relaciones sexuales de una relación íntima y amorosa.

En el próximo versículo Pablo nos ofrece tres cosas más que podemos usar para medir nuestra aptitud para andar en amor. Nos dice que rechacemos la **conducta indecente**, las *tonterías* y las **bromas groseras**, que no son apropiadas para el creyente. *Conducta indecente* se refiere a obscenidades y el trasfondo de la palabra tiene que ver con la vergüenza. Las personas que no entienden la vergüenza no piensan en el impacto de sus palabras antes de hablar. Un lenguaje irrespetuoso y crudo que no toma en cuenta a los que lo oyen entra en la categoría de conducta indecente. La contaminación mental de la cual hablábamos tarde o temprano se manifiesta en la manera de hablar de la persona. *Tonterías* describe las palabras de una persona llena de pensamientos tontos, insensibilidad y palabras huecas. *Tonterías* no se refiere a dichos graciosos y las llamadas metidas de pata inocentes, sino que describe una manera de hablar sin pensar que resulta en declaraciones impías. *Bromas groseras* significa literalmente "girar fácilmente" y transmite la idea de insinuaciones rápidas e ingeniosas usando alusiones sexuales para hacer chistes. Los presentadores de televisión y muchos cómicos populares son maestros de las bromas groseras. Parecen especializarse en el humor de tono subido y en convertir cualquier comentario o conversación en un chiste de connotación sexual.

La Palabra de Dios nos dice: "No permitan que conductas o pensamientos pecaminosos entren en tu mente, en tu corazón o en tus relaciones". ¿Por qué? Porque la esencia de estas palabras y acciones es lo opuesto de andar en amor. No son diversiones inocentes ni inocuas, son destructivas.

Por qué es tan importante el dar gracias

Los versículos citados nos dicen que cada una de estas maneras de hablar (con conducta indecente, tonterías y bromas groseras) debe ser reemplazada por *acciones de gracias*. ¿De qué manera proporcionan las acciones de gracias un sustituto adecuado para nuestra manera típica de hablar y actuar? ¿Qué tiene de maravilloso el dar gracias? Primero, la gratitud tiene un objetivo, estamos agradecidos a alguien. Segundo, estamos agradecidos por algo. Si desarrollamos un agradecimiento profundo a Dios por todo lo que él ha hecho por nosotros y por todo lo que él nos ha dado, también desarrollaremos un respeto profundo por la manera de tratar lo que tenemos. Si sabemos que hemos sido hechos a la imagen de Dios, quien nos ama, ¿cómo puede dejar de conmovernos el privilegio de conocer y apreciar a otra persona que también está hecha a la imagen de Dios?

Cuando estoy agradecido por la relación que tengo, me cuesta mucho interesarme en otra persona. No puedo agradecer a Dios conscientemente por Theresa como su don especial para mí, y al mismo tiempo alimentarme de pensamientos e imágenes de otras mujeres. Lo mismo sucede contigo, seas soltero o casado. El hecho de dar gracias a Dios permanentemente por lo que *él te ha dado* y por lo que *él te tiene preparado* es el mejor antídoto para la embestida de la contaminación mental que nos bombardea diariamente en cuanto a este hermoso don de la sexualidad.

Entonces, ¿cuál es la diferencia entre amor y sexo?

El sexo es uno de los sirvientes del amor. Son distintos porque el amor es mucho mayor que el sexo, pero el amor y el sexo fueron diseñados para funcionar en armonía. Cuando el amor se convierte en sirviente del sexo, hay caos. Nuestra cultura está confundida acerca de la diferencia entre el amor y el sexo de dos maneras: (1) hemos tratado de separar el amor y el sexo, describiendo a las relaciones sexuales como una forma inocua y sin significado de diversión informal entre personas que no sienten un compromiso duradero, y (2) hemos tratado de convertir a las relaciones sexuales y al amor en sinónimos, de modo que un gran amor significa tener relaciones sexuales satisfactorias y tener relaciones sexuales satisfactorias significa un gran amor. Ambos errores conducen a vidas como las de Laura, Miguel, Margarita y tal vez la tuya.

La corrección comienza cuando se encara la confusión. Darnos cuenta de que hemos estado equivocados acerca del amor y del sexo puede ser doloroso y vergonzoso, pero cuando lo admitimos, el cambio lleva a la esperanza y la sanidad. Los resultados justifican las dificultades. Sé que lo que digo va en contra de la cultura tanto o más que cualquier cosa que hayas leído. También me doy cuenta de que, aun entre una mayoría de los que se identifican como seguidores de Cristo, la pureza sexual se ha convertido sencillamente en "uno de los mandamientos que la mayor parte de la gente no obedece". En consecuencia, te ruego que, mientras lees el siguiente mensaje de correo electrónico que recibí de un oyente de mi audiencia radial, reevalúes honestamente tus concepciones y tus prácticas en cuanto a la sexualidad y al amor. Comparto esta historia como un ejemplo extremo y doloroso de lo que espero no te suceda nunca a ti. La ofrezco no como imperativo moral (aunque lo es), sino como un mensaje del corazón de Dios, quien desea lo mejor para ti.

Escuché tu mensaje por la radio esta mañana. Sé por mi propia experiencia que dijiste la verdad

acerca de la gracia de Dios para quebrar el poder
del pecado. He padecido una inmoralidad sexual
intensa. La usé como medicación para curar el dolor
emocional cuando era joven. A lo mejor si cuento
mi historia sirva de advertencia para los jóvenes
que piensan que el estar enamorado justifica tener
relaciones sexuales antes de casarse.

Cuando yo tenía 21 años, un amigo me invitó a una
pequeña iglesia. Ese día vi a una joven parada delante
de un gran roble, jugando con una niña que asistía a la
iglesia. Llevaba puesto un vestido blanco, y la amé
desde el momento que la vi. Estaba cautivado y no
podía pensar en otra cosa después de haberla visto.
Creo que a lo mejor una vez o tal vez dos veces en la
vida se conoce a la persona que se amará más que a la
propia vida. María era esa persona en mi vida.

Después de meses de perseguirla y tratar de
conquistarla, por fin conseguí salir con ella. Una noche,
después de una cita, la besé por primera vez en la vida.
Ese beso me dejó las rodillas temblando. Después de
un tiempo llegamos a amarnos. Ojalá hubiera podido
casarme con ella antes de que las cosas fueran más
lejos. Pero no nos dimos cuenta de las consecuencias
de la intimidad sexual fuera del matrimonio que
terminarían por destruirme a mí y avergonzarla a ella.
Pensaba que nos casaríamos pronto y que estaba bien
tener relaciones sexuales. La intimidad sexual nos ligó
de maneras que no entendí.

Cuando fuimos juntos de vacaciones el siguiente
verano, para visitar a unos parientes míos en el campo,

me pidió que me casara con ella. Se sentía cómoda durante la visita y quería formar un hogar. Le dije que no había nada para mí en el campo y que quería regresar a la ciudad. Entonces nos podríamos casar.

Poco después de regresar, ella conoció a otro hombre en la universidad y terminé por perderla. El dolor emocional de esa pérdida fue el peor dolor que había experimentado hasta ese momento en mi vida. La situación era aún peor porque podía ver el frente de su casa desde mi ventana, pues yo vivía en la siguiente calle, en una colina que me daba una vista perfecta de su casa. Seguía viviendo con sus padres. Porque yo la había vuelto inmoral, ahora tenía una debilidad y su nuevo novio la explotaba. Estoy seguro de que él también la amaba. Pronto él comenzó a pasar las noches en su casa. Mi dolor se multiplicó al saber que él estaba durmiendo con ella.

Decidí que lo que me hacía falta era encontrar a otra persona para distraer mi dolor emocional. Empecé a buscar cualquier mujer que podía usar para olvidar el dolor. La usaba a ella, y después a la siguiente y a la siguiente. Ya no sentía ninguna consideración por su bienestar emocional. Estaba impulsado por un dolor que no paraba. Había perdido la única por la cual habría dado mi vida, y ahora mi vida ya no tenía sentido. No tenía esperanza para el futuro.

Después descubrí que ir a un cabaret parecía entumecerme. La belleza increíble de las mujeres que trabajaban ahí me anestesiaba contra el dolor. Parecían

tan desinhibidas y generosas con sus favores que gasté
cada vez más dinero para comprar su atención
anestésica. Cuando entraba en el cabaret, donde había
cultivado relaciones con algunas de las bailarinas, me
sentía libre de la única que había amado y arruinado.

Siete años después, María me llamó para pedirme un
préstamo. Necesitaba dinero. Fui corriendo a
encontrarme con ella preguntándome por qué me
llamaría. Seguramente estaría casada. ¿Por qué su
esposo no le daba lo que necesitaba? Le di el dinero y
noté que parecía estar embarazada de pocos meses. Me
devolvió el dinero en poco tiempo y ya no parecía estar
embarazada. Cuando le pregunté acerca de su novio,
me dijo que la familia de él no la había aceptado
porque ella era de raza blanca. Él rompió la relación
después de siete años. Comentó al menos que se había
sentido casada por un tiempo. Me di cuenta que yo
había financiado su aborto. Él la había dejado
embarazada y después la abandonó. Yo estaba enojado,
dolido y muy avergonzado porque me sentía
responsable por sus problemas.

Varios años después me volvió a llamar. Necesitaba el
doble de dinero que la vez anterior. Había sido
sorprendida robando dinero de la empresa para la que
trabajaba y le habían seguido un juicio. Dijo que si no
devolvía el dinero iría a la cárcel. Me encontré con ella
y le dije que lo pensaría. Ahora tenía 32 años y estaba
corrompido por el pecado y la inmoralidad. Había
perdido la capacidad para compadecerme de una
persona necesitada. La persona por la cual hubiera

dado mi vida diez años atrás necesitaba misericordia y ayuda real. Finalmente le dije que si quería el dinero, tendría que tener relaciones sexuales conmigo una vez más. Para mi asombro y vergüenza, aceptó.

De algún modo, en mi mente distorsionada, mi corazón corrompido y mi espíritu contaminado, pensaba que podía resucitar una relación que había muerto mucho tiempo atrás. Ella debió haber pensado que yo todavía era capaz de amarla lo suficiente como para tenerle misericordia en su necesidad. Después de que logré rebajarla al nivel de una prostituta, me dijo que sentía que Dios la había abandonado por completo. Perdimos el contacto y volví a la vida del cabaret. No tuve noticias de ella durante seis años. Ahora necesitaba comprar ropa para ir a una entrevista. Había obtenido un título en fotografía en una Academia de Arte. Yo estaba tan muerto y contaminado que debe haber visto sólo una sombra de la persona que había sido 15 años antes. Pero ella había logrado un cambio. Había recuperado mucho de su belleza. Vivía en un hotel y buscaba una oportunidad como fotógrafa. Me mostró su trabajo y me alegró que hubiera encontrado algo que le gustaba hacer. La llevé a una tienda, le compré ropa y me despedí.

En 1987 oré y le dije a Dios que si podía conocer a una buena mujer dejaría de destruirme y comenzaría de nuevo. Había tenido varios empleos, desde ingeniero hasta remodelando viviendas. Conocí a una mujer cristiana de 32 años cuando yo tenía 37. Me pareció la persona más maravillosa que había conocido en mucho tiempo. Pero debido al pecado en el cual había estado atrapado durante 15 años y al distanciamiento completo de Dios que el pecado había producido en mi vida, no tenía idea de cómo tratar a una mujer cristiana. Cuando la conocí, ella estaba conduciendo un estudio bíblico en una tienda de pasteles con un hombre que trabajaba conmigo en el negocio de la construcción. Me senté a escuchar y cuando él se fue me quedé hablando con ella toda la noche hasta la mañana siguiente. Me preguntaba cómo podía sentir algún interés por una persona como yo. Después de varios meses de vernos, comenzamos a vivir juntos, pero no teníamos relaciones sexuales. Éramos más como compañeros. Finalmente tuvimos intimidad sexual. Ella quedó embarazada y nos casamos.

En realidad yo no la amaba, pero no lo sabía. Pensaba que la amaba y quería una vida nueva. Pensé que Dios había contestado esa oración desesperada. Ella quiso conocer a María. La llevé en el octavo mes de su embarazo, ella insistió. Me sorprendió poder ubicar a María. Durante la visita, cuando mi esposa se había ido al auto, le dije a María que todavía deseaba que hubiera sido ella la que estuviera embarazada y casada conmigo.

Por fin mi esposa se dio cuenta que me había casado con ella porque estaba embarazada y que no podía amarla, aunque había tratado de hacerlo. Sus padres la convencieron para que nos divorciáramos y lo hicimos después de dos años y medio. Teníamos una casa, yo estaba trabajando con una empresa de ingeniería y todo estaba pagado. Estaba ganando bien. Lo perdí todo en pocos meses. Mi esposa cambió de ser la persona más dulce y confiada del mundo a la más amargada y vengativa. La devastación del divorcio y los dos años adicionales de pecado que usé para tratar de matar el dolor, me dejó mental y espiritualmente enfermo. Hace años que vivo de una pensión por incapacidad. Soy tutor de mi hija, que ahora tiene 14 años y es muy talentosa.

Todavía puedo ver a María parada delante de ese roble. A veces paso por esa iglesia y el árbol sigue ahí. Paso por la casa donde vivía la primera vez que la besé, hace 30 años. Nunca podré amar a otra persona como la amé a ella. Si sólo me hubiera casado con ella, con honor, en esa iglesia, qué distintas habrían sido las cosas. Daría cualquier cosa por encontrarla una vez más para pedirle perdón por haberla envuelto en la inmoralidad sexual. Mi error me destruyó a mí y le trajo deshonra a ella. La última vez que oí de ella, estaba involucrada con un hombre casado. Me siento responsable, y espero que Dios me permita pedirle perdón por encaminarla en esta senda.

Por la gracia de Dios y diez años de sufrimiento mental y espiritual insoportable por los efectos a largo plazo del pecado, ya no soy adicto al pecado sexual. Estoy libre de la lascivia que me llevó a lo más profundo de la fornicación, el adulterio, la prostitución y la ruina económica. He perdido todos mis bienes materiales y tengo algunas deudas. Hago lo mejor que puedo para enseñarle a mi hija acerca de los peligros de las relaciones sexuales fuera del matrimonio. Ella es creyente, pero cuando su madre me rechazó a mí, también rechazó a su hija. Y su madre abusó emocionalmente de mi hija cuando era pequeña. Te escribí esta carta porque aunque ahora estoy libre y he experimentado la capacidad de Dios para librarme del pozo del infierno, sigo sintiéndome contaminado y atormentado espiritualmente. Ahora tengo 52 años y puedo rastrear el origen del desastre de mi vida a las relaciones que tuve con la mujer que debí haber aprendido a amar mejor. Ahora espero que mi historia sirva de advertencia a otros para que no cometan el mismo error. Dios no quiere quitarte nada bueno; quiere darte algo aún mejor. Tú lo dijiste, Chip: ¡*amor*, *sexo* y una *relación duradera*!

Conclusión

Cuando leo una historia como esta, se me parte el corazón. Vidas y amores arruinados porque la sexualidad estaba separada del amor genuino. Hubo dolor y destrucción porque el hermoso don de la sexualidad dado por Dios fue quitado del contexto del compromiso total del matrimonio.

Todo esto produce la pregunta esencial: ¿Por qué puso Dios tantas restricciones en el matrimonio? ¿Por qué se limita la relación sexual a una sola persona? ¿Cómo funciona realmente la receta de Dios?

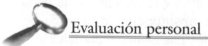 ## Evaluación personal

1. ¿Qué sentimientos o pensamientos tuviste al leer los casos de estudio incluidos en este capítulo? ¿Por qué?

⊨ 2. ¿Con cuál persona te sentiste más identificado?

⊨ 3. A partir de tu propia experiencia, ¿cómo explicarías la importancia de conocer la diferencia entre el amor y el sexo?

⊨ 4. ¿Cómo afectan la inmoralidad y la impureza sexuales la intimidad de una relación?

⊨ 5. ¿Por qué crees que las parejas "serias" suelen separarse después de introducir las relaciones sexuales en su relación como pareja?

7

¿Por qué sólo uno?

La receta de Dios para las relaciones duraderas prescribe a un hombre y una mujer que entran en una relación de tal intimidad y compromiso que los dos se convierten en uno de por vida. Nos pide que creemos un lugar entre dos personas donde se celebre, apruebe y disfrute la vida sexual. ¿Es posible?

¿Por qué ha diseñado Dios lo que parece ser, en nuestra época, un patrón tan restringido como el del matrimonio? ¿Es nuestra ansia de amor genuino, actividad sexual vibrante y relaciones duraderas un deseo vano o nos ayudará Dios a llevar a cabo la receta del matrimonio que él mismo diseñó? Expresado de otra manera: ¿Es Dios injusto y muy cerrado pretendiendo que seamos monógamos o en realidad es generoso permitiéndonos la relación del matrimonio? ¿Está diseñado el matrimonio para restringir y limitar nuestras expresiones de amor o el matrimonio está diseñado para protegernos y ahondar enormemente nuestra experiencia del amor? Estas preguntas exponen nuestros anhelos más profundos y nuestras heridas más dolorosas.

Hace poco, después de hablar sobre el tema del último capítulo, se me acercó una mujer que admitió que se había pasado todo el tiempo que yo había hablado tratando de no llorar. He oído y leído miles de versiones de su experiencia. Estamos rodeados por personas que, al oír de la receta de Dios para las relaciones, agachan la cabeza y murmuran entre lágrimas *si sólo lo hubiera sabido antes*. A lo mejor hayas pensado lo mismo. Permíteme recordarte que el propósito de estos capítulos no es cargarte de culpa sino llenarte de esperanza para aliviar la carga. El mismo Dios que dio una receta amorosa para encarar las relaciones correctamente, también nos ha dado una receta para lo que debemos hacer cuando las cosas salen mal. Recuerda: hay esperanza.

El motivo de Dios para el matrimonio

La razón que Dios nos manda que guardemos las relaciones sexuales para esa sola persona dentro del matrimonio es **porque la impureza sexual destruye las relaciones**. Las historias que he oído a través de los años han ido moldeando mi manera de ver a los oyentes cuando hablo de este tema. Ahora entiendo que es probable que la persona común en cualquier grupo tenga un pasado lleno de vergüenza. Sé lo que pasaría si tal grupo pudiera pasar varias horas contando la historia sobre la vida sexual de cada persona anónimamente. Uno por uno, se desdoblarían sus relatos:

"Esto tiene que ver con la primera vez que tuve relaciones sexuales".

"Así perdí mi virginidad".

"Esto es lo que pasó cuando creí que podía conseguir amor a cambio de relaciones sexuales".

"Yo he estado ahí".

"Esto es lo que he hecho".

"Así se acabó mi matrimonio".

"Recuerdo la primera vez que tuve una relación extramatrimonial".

"Recuerdo la primera vez que entré a Internet y descubrí ese mundo cautivante y explosivo. Permítanme decirles cómo se vino abajo mi mundo".

Una persona tras otra contaría historias íntimas de las cuales veríamos surgir patrones obvios. La verdad revelaría heridas profundas. Las relaciones sexuales fuera de las fronteras de Dios destruyen a las personas y las otras relaciones. Las historias incluirían consecuencias permanentes y dolor. Las lágrimas fluirían al contar y al escuchar.

"Tengo herpes genital que no se puede curar".

"Tengo el recuerdo de un aborto que me hice de adolescente que todavía me produce pesadillas".

"Pensaba que podía quebrar las reglas cuando estaba viajando en el extranjero porque estaba entre desconocidos, pero traje sífilis de vuelta conmigo como recuerdo doloroso".

"El examen médico dijo que era VIH Positivo y me avergüenza decir que tuve tantas parejas que no sé quién me contagió".

"Tengo SIDA. Les cuento cómo lo contraje".

Estoy convencido de lo siguiente: antes de que abramos la Biblia, la verdad que hallamos escrita en la vida del grupo típico de seres humanos es suficiente como para obligarnos a admitir que hay algo terriblemente equivocado en nuestra manera de manejar las relaciones. Nuestras

Las relaciones sexuales fuera de las fronteras de Dios destruyen las otras relaciones.

historias de heridas emocionales, de uso y abandono, de pensar erróneamente que aquello era amor sólo para luego sufrir la mayor desilusión de la vida, ¡debieran bastarnos para convencernos! Dios nos ama demasiado para no desafiar el desastre que hemos creado. Su Palabra confirma lo que sabemos, pero también nos dice que hay una salida. Para los que lo aprenden a tiempo, la receta de Dios para las relaciones ofrece una manera de evitar muchos problemas; para los que ya están atrapados en el dolor o el vacío, Dios sigue ofreciendo esperanza.

¿Sabes lo que Dios desea? Desea que tengas una relación con otra persona en la cual se puedan mirar a los ojos y confiar el uno en el otro. No existe nadie más en esa relación. Hay unidad emocional y hay unidad espiritual. Hay aventura, diversión, charla, risa, relaciones sexuales y, si Dios así lo dispone, hasta hijos. A lo largo de la vida, se encuentran físicamente una y otra vez celebrando la unión para la gloria de Dios. El lecho matrimonial permanece santo y se celebra la sexualidad con la aprobación de Dios; sin culpa, sin cargas, sin compararse a sí mismo ni a la pareja con otra persona. Las relaciones sexuales se convierten en un momento sano, santo, maravilloso y misterioso en la presencia de Dios. Dios dice que el acto sexual une las almas de las personas como pocas experiencias en el mundo. Dios te ama tanto que desea esa vida para ti, para tus hijos y para tus amigos.

Lo que vemos a nuestro alrededor es una amplia evidencia de que como cultura nos hemos apartado de la receta de Dios para las relaciones sanas. Tu experiencia y la mía nos dicen que las relaciones sexuales fuera de las fronteras de Dios destruyen las otras relaciones.

Algunas consecuencias son para siempre

Todos conocemos matrimonios permanentemente destrozados. Muchos conocemos a personas cuyas vidas incluyen tantos errores retorcidos y solapados, tantas relaciones rotas, tantos niños dañados que es imposible desenmarañarlas. A veces tú y yo sentimos que nuestra vida está toda enredada. He visto a Dios enderezar situaciones que me parecían imposibles. Pero también sé que quedan cicatrices aún después de la curación. Conozco a otros que se niegan a entregar sus problemas a Dios. He llorado con hombres y mujeres como el hombre con cuya historia finalizó el último capítulo. Su vida ha sido rescatada, pero las ruinas de años de abuso no pueden desaparecer en un instante. Algunas consecuencias son para siempre.

Después de los versículos sobre la inmoralidad y la avaricia, el apóstol Pablo nos dice: "Porque esto lo sabéis muy bien: que ningún inmoral ni impuro ni avaro, el cual es idólatra, tiene herencia en el reino de Cristo y de Dios. Nadie os engañe con vanas palabras, porque a causa de estas cosas viene la ira de Dios sobre los hijos de desobediencia" (Efesios 5:5, 6). La Biblia nos recuerda algunas certezas inevitables. Estos versículos incluyen una lista sombría. Usa las mismas tres características que vimos antes (inmoralidad, impureza y avaricia) para describir a las personas que no tienen "herencia en el reino de Cristo". Hay una finalidad en esta declaración que me produce escalofríos.

Sé que es difícil enfrentar el pasado. Nos cuesta admitir nuestros pecados. Es difícil confesar lo que hemos hecho a otros intencionadamente. Nos cuesta admitir nuestra participación en actividades pasadas. Sabemos que si contáramos nuestra historia verdadera, los demás dirían cosas como: "¡Piensa en las personas que has herido! ¡Piensa en las familias destruidas! ¡Piensa en los niños arrastrados de un hogar a otro!". Sabemos que hemos cometido errores que no se pueden arreglar, aunque se perdonen. Cuando leemos versículos como éstos, la culpa levanta su horrible cabeza y nos señala con su índice acusador.

Pero presta atención a lo que la Biblia dice realmente. Nota que los versículos no están dirigidos a las personas que alguna vez cometieron un *acto* inmoral, impuro o avaro. La acusación es contra la persona inmoral, la persona impura, la persona avara; es la idea de alguien cuya conducta está caracterizada por estas actitudes. Si le decimos a Dios: *Sé que tienes un plan y sé que pusiste algunos límites, pero no te quiero a ti ni a tu plan en mi vida porque voy a hacer las cosas a mi manera*, entonces entramos directamente en la esfera de estos versículos. Todos tropezamos, aun cuando estamos aprendiendo a andar en amor, y la Palabra de Dios nos lo advierte. Pero estos versículos están dirigidos a los que *insisten en andar por su propio camino*. Hay esperanza para los que tropiezan, mientras confíen en Dios. Por eso, en los versículos citados, Pablo agrega una pequeña explicación después de mencionar al avaro, señalando que tales personas están cometiendo idolatría. Sus deseos se han convertido en su dios.

Adoración y sexo

En última instancia, nuestra forma de usar y pensar en las relaciones sexuales se reduce a considerarlas un don de Dios o un medio de satisfacer fines egoístas. Las relaciones sexuales fuera del ideal de Dios para el matrimonio con sus elementos de lascivia, de lo tomo, o del uso de las personas porque "tengo que tenerlo", descaradamente hace caso omiso de Dios. Es interesante que los antiguos acertaron en el hecho de que existe una relación entre el sexo y la adoración. Pero cometieron un enorme error al aplicar esta verdad. Adoraron el sexo en lugar del Dios que lo dio. En lugar de reconocer el sexo como una de las cosas maravillosas de la creación que señala al Creador, convirtieron esa parte de la creación en un ídolo que adoraban usando mal el don. Nuestra cultura ha cometido el mismo error. En el fondo de la inmoralidad sexual hay una actitud de adoración, pero es una adoración tremendamente equivocada. En la inmoralidad sexual nos adoramos a nosotros mismos a costillas de los demás. En última instancia, la inmoralidad sexual es la adoración de mis necesidades, de mis derechos, de mi lascivia y de mí mismo, y eso no es amor.

¿Qué conexión hay entre el sexo y la adoración en la receta de Dios? La respuesta se encuentra en los versículos que vimos en el último capítulo. La Biblia utiliza una actitud de agradecimiento como contraste con la persona inmoral, impura y avara. La adoración genuina tiene mucho que ver con la gratitud. Cuando Dios describe los problemas más profundos de la condición humana, dice que todos hemos pecado (Romanos 3:23). También señala que no hemos dado gracias (Romanos 1:21). Si Dios nos ha dado el don de la sexualidad, la forma más genuina de gratitud se traducirá en la manera que manejamos ese don. La relación del matrimonio proporciona el único entorno diseñado por Dios en el cual el hombre y la mujer pueden expresar su profunda gratitud al Creador compartiendo su don de la sexualidad de por vida. El hecho de que esto nos suene extraño sencillamente indica lo arraigada que está la fórmula de Hollywood en nuestro pensamiento. Una perspectiva del amor que no da lugar a Dios no producirá ni amor ni gratitud a Dios por su generosidad.

El peligro de las palabras huecas

Nota que los versículos dicen: *"Nadie os engañe con vanas palabras"* (Efesios 5:6). Otra traducción dice *"Que nadie los engañe con palabras huecas"* (DHH). Cuando se trata de sexualidad, el mundo está lleno de palabras huecas, como cuando ofrecemos a los jóvenes lemas falsos como: "relaciones sexuales seguras"; o cuando cambiamos los términos o sustituimos expresiones para evitar la verdad, diciendo: "no es más que una aventura", o: "echarse una cana al aire". Pero el adulterio bajo cualquier nombre hueco sigue siendo adulterio. Es posible que el cambio de terminología oculte la verdad por un tiempo, pero no la cambia. El adulterio sigue siendo una traición múltiple de uno mismo y de los demás. Si hemos hecho un voto (dado nuestra palabra) ante Dios, ante nuestro cónyuge y ante otros testigos, y luego traicionamos nuestra promesa, hemos cometido adulterio. No es una "aventura" fortuita; es pecado y pone en marcha una secuencia de efectos devastadores.

La impureza sexual (dentro o fuera del matrimonio) destruye las relaciones. La primera relación que destruye es la relación con Dios. La gente que se entrega progresivamente a la inmoralidad sexual en realidad está diciendo que va a adorarse a sí misma. Eso significa que no adora a Dios. He visto que la gente se conmociona al descubrir este hecho. Si relegamos a Dios a un rinconcito de nuestra vida y le decimos que espere callado hasta que se nos ocurra prestarle atención, entonces no debería sorprendernos que no esté cuando finalmente lo buscamos. La adoración es exclusiva. Eso significa que no podemos adorar o servir a más de un dios. No podemos construir toda la vida alrededor de nosotros mismos y esperar que Dios se conforme. El pecado rompe la comunión con Dios.

¿Recuerdas la última vez que violaste a sabiendas parte de la receta de Dios para tu vida? A lo mejor no pasó nada malo inmediatamente. Hasta pudiste haberte divertido mucho. Pero, ¿en qué condición quedó tu vida de oración después de eso? ¿Te fue posible tener una intimidad profunda con Dios en tu vida de oración después de haber participado del pecado sexual? ¿Te sentiste cerca de Dios? ¿Observaste oraciones contestadas sistemáticamente? ¿O te sentiste condenado, sucio y avergonzado? ¿Seguiste con la rutina diaria, o cometiste el mismo pecado para evitar esos sentimientos? ¿Te sentiste inquieto, ponías el volumen de la música más fuerte, no soportabas estar solo? Las fronteras de la receta de Dios no existen porque Dios sea mojigato sino porque te ama mucho. Dios sabe que la impureza sexual destruirá tu relación con él.

Por favor escucha lo siguiente. El Dios que nos hizo entendía que tú y yo lucharíamos. Cuando Jesús murió en la cruz pagó por tus pecados y los míos, todos ellos. La persona inmoral, impura y avara permanece en esa condición porque rechaza el remedio de Dios. No podemos solucionar o cambiar nuestro problema con buenos deseos. Pero Dios ya ha dispuesto la eliminación de esa carga, la culpa y el remordimiento del pasado. Jesús ya se encargó de ello. Sea cual fuere tu pasado, puedes detenerse hoy y decir: "Señor Jesús, he estado manejando mi vida sexual a mi manera y eso ha destruido mi relación contigo y con otras personas. ¿Me perdonas?". ¿Sabes lo que descubrirás? Una vez que abras tu corazón y seas franco con Dios, no te encontrarás con un Dios con los brazos cruzados y con el dedo acusador, zapateando y diciéndote: "Ya era hora de que aparecieras porque estoy muy enojado contigo". En lugar de eso, te vas a encontrar con un Dios con el corazón partido, que te mirará a través de lágrimas de compasión y que te dirá: "Has estado destruyéndote. Sabía que

Dios sabe que la impureza sexual destruirá tu relación con él.

esto ocurriría y envié a mi Hijo para solucionarlo. Envié a mi Hijo a pagar tu deuda y romper el poder del pecado en tu vida. Puedes comenzar de nuevo. Puedes manejar las relaciones a mi manera. Puedes tener intimidad, puedes ser amado, puedes ser apreciado, puedes darte cuenta de que tu pareja no es un objeto sino una compañía para toda la vida. Hoy podemos trazar una línea en el piso; puedes recibir el perdón por tu pasado y comenzar un peregrinaje hacia el futuro". Necesitamos estas palabras de esperanza.

La impureza sexual no sólo destruye nuestra relación con Dios, sino que también destruye nuestra relación con otras personas. Ya hemos visto el dolor, la confusión y la traición causados por la impureza sexual en los relatos que hemos leído. Los que intentan practicar las relaciones sexuales y el amor de esa manera basan su vida en palabras huecas. Se dirigen a la destrucción, porque algunas consecuencias son inevitables.

La frase final de los versículos que leímos es: *"porque a causa de estas cosas viene la ira de Dios sobre los hijos de desobediencia"* (Efesios 5:6). La frase la ira de Dios (su enojo) describe las consecuencias de desobedecer y hacer caso omiso de la receta de Dios. No pensamos con la frecuencia y la claridad necesarias acerca de la ira de Dios. Dios odia el mal. Se enoja con una ira santa y justa. Lo más parecido a esta clase de ira que los seres humanos sienten es la ira producida al ver el sufrimiento de un pequeño. Ver a un niño golpeado o maltratado provoca una ola de ira justa en nuestro interior. Nos impulsa a intervenir, hasta con violencia si esto fuera necesario.

Cuando se produce un mal obvio, el hecho de haber sido hecho a la imagen de Dios también permite sentir una ira justa. ¿Por qué? Porque se está dañando o destruyendo algo que se ama.

Dios hizo este planeta, te hizo a ti, hizo la sexualidad, hizo el matrimonio. Cuando hacemos algo que viola lo que él hizo, él se enoja profundamente. ¿Por qué? Porque el pecado destruye tu relación con él. Destruye tu relación con otros. El pecado no es amor; te destruye a ti y me destruye a mí. El pecado provoca la ira de Dios. Cuando Jesús murió en la cruz, absorbió la ira justa de Dios, de modo que hay perdón genuino disponible. Pero en este mundo caído, las consecuencias son una de las maneras en que Dios nos recuerda la inmensidad y la realidad del mal. Después de un tiempo las consecuencias pueden hacernos llegar a decir: "A lo mejor la Palabra de Dios tiene razón. A lo mejor debería hacer las cosas a su manera". Sé que algunos tenemos el corazón muy endurecido, de modo que las consecuencias tardan más en hacernos reaccionar. A veces tenemos que darnos con la pared tres o cuatro veces antes de prestar atención. Pasamos por múltiples relaciones o hasta matrimonios antes de detenernos a pensar seriamente. A lo mejor haga falta una enfermedad transmitida sexualmente o una profunda soledad para llevarnos al punto de decir: "Dios, lo siento. Tu camino es el verdadero".

Llamando nuestra atención

Recuerdo la amistad que surgió con un compañero de básquet hace unos pocos años. Viajamos y jugamos juntos por toda Sudamérica. La mayor parte de los jugadores eran muy buenos y venían de universidades famosas. Competimos con equipos no profesionales y profesionales, compartiendo nuestra fe en los descansos. Pronto descubrí que mi nuevo amigo solía pasar sus veranos jugando básquet profesional en las ligas menores. Durante el año escolar jugaba en una universidad importante, donde era titular del equipo.

Terminamos compartiendo la habitación durante el viaje con este equipo cristiano. Nos llevábamos muy bien. Además de su destreza atlética, era un muchacho de buen carácter, buen mozo, que parecía disfrutar la experiencia. Cuando comenzamos a compartir nuestro peregrinaje espiritual, me sorprendió su vulnerabilidad. Me dijo:

—Sabes, es bueno ser parte de esto. La mayor parte de los veranos me la paso jugando básquet profesional —después agregó, pensativo— por fin Dios me llamó la atención.

—¿Qué quieres decir? —pregunté.

—Supongo que la mejor manera de describirlo es que he sido un idólatra. Me pasé toda la vida adorándome a mí mismo. Nunca lo había visto de esa manera, pero hace unos meses me di cuenta de que era así.

Yo no sabía cómo responder. Después de un rato, él se dio cuenta de que sería útil explicar un poco más.

—Cuando empecé a participar en las giras, me gustaba mucho el público y descubrí que atraía a las chicas —sacudió la cabeza como si recordara algo doloroso—. Mientras íbamos de pueblo en pueblo por todos los Estados Unidos de América, a veces tenía relaciones sexuales varias veces por día con distintas chicas. Ellas se nos ofrecían después de los partidos. Y en la universidad, como estrella de básquet, la vida sexual activa era uno de los beneficios. Al principio era el juego fuera del juego: ¿Con cuántas mujeres y en cuánto tiempo podía tener relaciones sexuales? Al final perdí la cuenta. Mi vida giraba alrededor del sexo.

No había señales de jactancia en su voz. Las palabras brotaban lentamente y con vergüenza, como terribles pesas de las cuales quería deshacerse.

—Pasé unos tres años así. Un día me desperté entumecido —se detuvo un momento para que yo pudiera absorber el significado de su confesión. —No sentía nada. Ya ni sabía quién era. No sabía cómo tener una relación. Era como alguien que mete la mano en el fuego una y otra vez. Al principio, las sacudidas son memorables. Pero una vez que la mano se ha quemado lo suficiente y los nervios han muerto bajo las cicatrices, la mano deja de sentir. Mi cuerpo llegó al punto de dejar de responder. Tuve un surmenage sexual. El corazón se me embotó; el cerebro me dejó de responder.

Nunca olvidaré la profunda tristeza y el sentimiento de pérdida transmitidos en su voz cuando murmuró:

—Se me arrancó un pedazo de mí mismo con cada una de esas mujeres, que no podré recuperar nunca.

Describió los años de complacencia sexual egoísta comparándolos con un pedazo de cartón. Cada vez que tenía relaciones sexuales quedaba pegado con otro pedazo de cartón hasta que se secaba la goma. Cuando se arrancaban los pedazos, ninguno de los dos quedaba sano.

—Hay pedacitos de mí regados por todas partes con esas mujeres —dijo—. Ni siquiera sé quién soy y no sé cómo tener una relación —concluyó sollozando—; llegué al punto de estar tan lejos de Dios que sabía que estaba perdido. La invitación a este viaje fue la respuesta misericordiosa de Dios a mi clamor de ayuda. Mientras vamos de país en país también estoy en un peregrinaje espiritual. Le pido a Dios que me sane poco a poco.

Es probable que no haya un solo hombre que haya leído la primera parte del relato que al menos una vez en un momento de debilidad no haya pensado: *¡Eso sí que es vivir! Acceso ilimitado a las chicas.* Pero las consecuencias de este relato superan la emoción y la motivación anteriores. Mi amigo descubrió que la idolatría tiene un precio muy alto. En el caso suyo, varios años de complacencia produjeron una vida de arrepentimiento. Pero si te identificas dolorosamente con su experiencia, no pases por alto la gracia de Dios en su vida. Estaba hallando la sanidad. Estaba descubriendo, poco a poco, los buenos propósitos de Dios aun en su ira. Dios nos ama tanto que quiere que sepamos que el hecho de que no tomemos en cuenta su receta y de que llevemos nuestra sexualidad fuera del ámbito de una mujer o un hombre de por vida, finalmente terminará por destruir nuestra relación con otras personas; pero también destruirá nuestra relación con Dios y, en última instancia, como le pasó a mi amigo, destruirá nuestra relación con nosotros mismos.

¿Cuál es el próximo paso?

Permíteme repetir el tema recurrente de la esperanza que Dios desea que recuerdes. Te conté esta historia porque es un ejemplo muy poderoso de la forma en la cual las consecuencias sobrepasan los placeres de la inmoralidad, pero también es un ejemplo de la forma en la cual la esperanza y la gracia cubren multitud de pecados. No importa dónde te encuentres hoy, hay esperanza para ti dentro de la misericordia y la gracia de Dios.

> No importa dónde te encuentres hoy, hay esperanza para ti dentro de la misericordia y la gracia de Dios.

En el próximo capítulo quiero tratar un tema importante para todos nosotros. No importa si eres una persona joven y soltera que está luchando por entender la receta de Dios para el *amor*, el *sexo* y las *relaciones duraderas* para poder seguir adelante en la vida confiadamente, o si eres un peregrino herido con una colección de consecuencias que te han llevado a buscar la ayuda de Dios, todos necesitan entender cómo mantener la pureza sexual en una sociedad saturada de sexo. Si vamos a evitar los errores relacionales la primera vuelta o a prevenir la repetición de los mismos errores, debemos tener una idea clara de la provisión de Dios y de su poder para lograr la pureza sexual.

En resumen, lo que hemos dicho en este capítulo es que *Dios desea que andes en amor*. Las relaciones, amar a otras personas y el compañerismo íntimo que brota del suelo del amor llevan tiempo, energía y compromiso. Hay fronteras claras. Por eso Dios diseñó la relación matrimonial con una sola persona. Dios anhela que tengas una relación con el sexo opuesto tan buena y maravillosa que cuando celebres las relaciones sexuales, sea un momento santo, misterioso e imponente tanto a los ojos de Dios como en tu propia experiencia.

Antes de considerar *cómo* mantener la pureza sexual, voy a pedirte que tomes una decisión acerca de tu sexualidad y tus relaciones. Te pido que aceptes el amor infinito de Dios hacia ti. La decisión de aceptar el diseño de Dios para el amor genuino significa que debes comprometerte (o volver a comprometerte) con su norma de pureza al aplicar la receta para el *amor*, el *sexo* y las *relaciones duraderas*. Es un compromiso a ser sexualmente puro en los pensamientos, en las palabras y en los hechos.

Primero, una invitación específica para los *solteros no involucrados*; es decir, que no tengan una relación en este momento. Quiero que tomen la decisión de desarrollar convicciones personales acerca de la pureza sexual. Tracen una línea en la arena y digan: *Encararé las relaciones de esta manera. No tendré relaciones sexuales antes de casarme. No me involucraré más allá de este nivel físicamente antes de casarme. No me conformaré con menos de lo mejor*. Toma una decisión hoy mismo, antes de leer el próximo capítulo. Luego pídele a Dios la gracia para cumplir ese compromiso cada día.

Segundo, una palabra para los que están *involucrados*. Me

refiero a los que están participando en una relación que necesita un mejor entendimiento de la receta de Dios. Quiero que tomen la decisión de tener una conversación franca durante los próximos días para evaluar su relación en términos de pureza sexual. Si están yendo demasiado lejos sexualmente, abandonen esa conducta y fijen nuevos límites (el próximo capítulo les ayudará). Si están viviendo juntos, decidan separarse para llevar adelante esta relación a la manera de Dios. No se arrepentirán.

Tercero, una palabra para los que están *en crisis*. Tal vez una de las siguientes oraciones describa el estado de su relación:

A decir verdad, tu matrimonio está por acabarse.

Tienes un problema de adicción al sexo y a la pornografía.

Te has convertido en usuario habitual de sitios de Internet que promueven la pornografía.

Has considerado tener relaciones fuera del matrimonio o ya las has tenido.

Tienes fantasías homosexuales o estás involucrado en una relación homosexual.

Te sientes sexualmente atraído/a a los niños, o a alguna otra perversión.

Estos problemas penetran todos los niveles y los rincones de la sociedad. Se encuentran en la iglesia y en barrios tenebrosos. Si este capítulo ha revelado que tienes llagas vivas, tal vez te haga falta ayuda profesional inmediata. No dudes. Hay ayuda disponible para los que están dispuestos a buscarla. Puedo decirte lo siguiente: el pozo donde estás escondido no es tan profundo que la gracia de Dios no pueda alcanzarte y sacarte. Consulta a un pastor, a un consejero profesional o a un grupo diseñado para ayudar a personas con adicciones sexuales.

Por último, quiero agregar una palabra de esperanza para

todos. Imagino que al leer este capítulo has pensado en personas que has herido o en heridas que has recibido y te preguntas ¿*Puede Dios perdonar toda esa basura, toda esa inmundicia*? Respondo con las palabras de Dios mismo:

> Venid, pues, dice Jehovah; y razonemos
>   juntos:
> Aunque vuestros pecados sean como la grana,
>   como la nieve serán emblanquecidos.
> Aunque sean rojos como el carmesí, vendrán a
>   ser como blanca lana.
>
>   Isaías 1:18

¿Te gustaría eso? ¿Te gustaría saber que todo tu pasado sexual, toda la gente que has herido, todas las cosas que has pasado, todas las cosas que has hecho, dicho, o pensado, que todo eso desapareciera? Hoy mismo puedes inclinar su cabeza y orar de la siguiente manera: *Dios, estas historias y tu Palabra están revelando cosas acerca de mí que tal vez sólo sean la punta del iceberg. Puedo ver errores y pecados específicos que he cometido. Tú sabes todo esto, pero quiero nombrarlos en tu presencia como un acto específico de confesión por parte mía. Señor, he...* [personalice lo que el Espíritu de Dios le haya mostrado]. *Los reconozco como pecados intencionados o no intencionados que he cometido en contra de ti, al mismo tiempo que he perjudicado a otros y a mí mismo. Perdóname por medio de lo que Jesús hizo en la cruz, límpiame y ayúdame a vivir para ti de ahora en adelante.*

Dios lo hará. Restaurará su receta para las relaciones en tu vida, comenzando con la relación contigo mismo. Puedes demorar o alejarte, pero el costo será grande. Dios tiene algo en mente para ti que es mucho mejor que no lo puedes imaginar. El plan de Dios para ti, ya sea que estés casado, soltero, o por casarte, a menos que te dé él el don de la soltería, es que tengas una relación matrimonial cálida y amorosa, caracterizada por una comunicación abierta, mucho trabajo, un profundo compromiso y límites fijos, todo esto a la manera de Dios. Habrá momentos en los cuales en celebración de quién es Dios y en gratitud por los dones que compartes, disfrutarás de las mejores relaciones sexuales conocidas en el planeta; libre de culpa, libre de cargas, inspirado por el Espíritu Santo, como un acto de adoración agradecida a tu Padre celestial. Eso es lo que Dios piensa acerca del sexo y el amor. Fluye de la pureza y de las fronteras protectoras que él ha provisto para nosotros.

Si crees que es imposible llevar una vida sexualmente pura en un mundo saturado de sexo o sencillamente no sabes cómo hacerlo, acompáñame en el próximo capítulo.

 Evaluación personal

1. ¿Cómo revela el mandamiento de Dios sobre la monogamia su amor por nosotros?

2. ¿Cuál es la conexión entre adoración y sexo?

3. ¿Por qué piensas que las personas todavía están confundidas acerca de la conexión entre adoración y sexo?

4. ¿De qué maneras te pareció que la historia final acerca del jugador de básquet es una fuente de esperanza para ti y tus relaciones?

5. ¿Qué paso(s) específico(s) necesitas tomar en respuesta a lo que aprendiste en este capítulo?:

a. Comprometerte a la pureza sexual.
b. Hablar con tu novio/a para fijar límites.
c. Buscar ayuda para tu lucha contra una adicción sexual.
d. Otro _____

8

Cómo decirle sí al amor y no a las relaciones sexuales de segunda categoría

Lance="drop-cap">a pregunta voló hacia mí como un enorme pedazo de fruta madura, que los que me estaban observando esperaban ver chocar contra mi rostro mientras la pulpa de la fruta lo cubría. Estaba sentado en el piso de una habitación de un dormitorio universitario rodeado de seis o siete jóvenes. El tema bajo discusión era la pureza sexual, y la tensión en la habitación era palpable. Aunque un par de los muchachos eran creyentes y claramente me estaban animando a seguir, no había duda de que el ambiente se volvía hostil cada vez que se trataba de lo que la Biblia dice acerca del sexo. Uno de ellos me hizo una pregunta que todos tenían en mente y que la mayoría creía no tenía respuesta. Era una de esas preguntas que me habían confundido como joven cristiano.

Pero esta vez estaba preparado. El muchacho, obviamente el líder del grupo, se inclinó hacia adelante y dijo:

—Ustedes los cristianos siempre usan la Biblia para contestar las preguntas. No estoy seguro de poder confiar en ella. Sin citar la Biblia, ¿puede darme una buena razón para esperar hasta casarme para tener relaciones sexuales?

Se hizo un silencio incómodo. El grupo parecía estar satisfecho de que alguien hubiera expresado la frustración que todos sentían. Los dos jóvenes cristianos esperaban que contestara algo bueno; los otros parecían creer que me tenían entre la espada y la pared. Con una corta y agradecida oración al Señor por lo que me había enseñado en el pasado, dije:

—Les ofrezco un trato. ¿Están dispuestos a escuchar lo que la Biblia dice acerca de esperar hasta casarse para tener relaciones sexuales si les doy no una sino *cinco* buenas razones que no están en la Biblia?

No hay duda de que mi respuesta los tomó por sorpresa. Se miraron con una mezcla de confusión y curiosidad. Cuando me miraron con cautelosa aceptación, sabía que si les daba cinco buenas razones de por qué debían esperar hasta casarse para tener relaciones sexuales, al menos me permitirían presentar lo que la Biblia dice acerca del *amor*, el *sexo* y las *relaciones duraderas*.

Lo que acabo de describir representa una infinidad de conversaciones que he tenido a lo largo de los últimos 20 años con estudiantes universitarios. Aunque no recuerdo los detalles de cada situación, las bromas, las preguntas y los temas han sido siempre los mismos. Cuando se trata del amor, el hambre de dirección y verdad está apenas debajo de la superficie de la vida de la mayor parte de las personas. A continuación se resumen las cinco razones que he dado en innumerables ocasiones en que se me ha confrontado. No están basadas en pasajes bíblicos sino en investigación científica.

Cinco hechos acerca de las relaciones sexuales

A continuación se encuentran cinco datos importantes acerca de la pureza sexual que he tomado de informes publicados:

1. Las personas que se abstienen de las relaciones sexuales antes del matrimonio reportan los más altos niveles de satisfacción sexual en el matrimonio. De hecho, los que dicen que están muy satisfechos en términos sexuales no son solteros apuestos con múltiples parejas que van de bar en bar para encontrar a la persona perfecta en el momento perfecto para esta vida estimulante. En 1994, el periódico *Washington Post* sacó la siguiente conclusión al comentar la investigación del Grupo de Investigación Bethesda: **"Las parejas con una convicción firme de que las relaciones sexuales fuera del matrimonio están mal, están más satisfechas con su vida sexual en un impactante 31 %"**[1].

2. "La probabilidad de divorcio para las personas que cohabitan o viven juntas antes de casarse es un 50 por ciento mayor que para las que no lo hacen"[2]. Investigadores de UCLA (Universidad de California en Los Angeles), en los Estos Unidos de América, descubrieron que las personas que cohabitan no sólo tienen un índice de divorcio más alto, sino que también es más probable que cometan adulterio después de casarse.

3. Por otra parte, la Universidad de Carolina del Sur, en los Estados Unidos de América, encontró en un estudio que las personas que se abstienen de las relaciones sexuales antes del matrimonio tienen los índices más altos de fidelidad matrimonial[3].

4. **"La introducción de las relaciones sexuales en una**

relación casi siempre representa el principio del fin de la misma"[4]. Los doctores Les y Leslie Parrott hicieron esta declaración después de entrevistar a miles de solteros universitarios. Ya hemos hablado de este tema.

5. "Las enfermedades de transmisión sexual (ETS), incluido el SIDA, pueden permanecer latentes o sin mostrar síntomas (sin manifestarse) durante una década o más, pero pueden transmitirse a otros durante ese período"[5]. La rápida difusión de las ETS contradice a aquellos que sostienen que las relaciones sexuales representan una actividad recreativa inofensiva a llevarse a cabo con el mayor número posible de parejas. Hay personas que están pagando con su vida y su salud por aceptar esa mentira.

Es evidente que cuanto más persistimos en nuestros intentos por poner en práctica la fórmula de Hollywood, tanto más abundante es la evidencia de que el plan no funciona. La investigación científica de las últimas décadas deja muy en claro que la receta de Dios de verdad es lo mejor para nosotros. Además, los resultados de las investigaciones confirman la enseñanza bíblica en cada instancia. Aunque estos datos han sido ampliamente difundidos en los medios, parecen tener poco efecto. ¿Por qué? Porque el volumen de los mensajes de Hollywood ahoga el sentido común. Lo que me entristece cuando considero estos datos es que presentan una evidencia tan devastadora de los estragos en la vida de la gente. Cuando se convierten en estadística, demasiadas personas están sufriendo las consecuencias de errores que se podrían haber evitado. Por eso es que la receta de Dios es tan valiosa; presenta una manera de vivir que se adelanta a los conflictos y las tentaciones. Nos enseña el camino por el campo minado de problemas y errores que atravesaremos si tratamos de entender la vida sobre la marcha.

Espero que, al igual que el grupo de jóvenes que mencioné al principio del capítulo, tú estés dispuesto ha considerar seriamente lo que la Biblia dice acerca de las relaciones. Hay dos hechos importantes que debes entender acerca del sexo en la receta de Dios.

Hecho 1. Las relaciones amorosas exigen pureza sexual

Todavía no he enunciado esta verdad claramente, pero las relaciones amorosas exigen pureza sexual. Me asombra lo fácil que es caer en la mentalidad que supone que podemos plantar las semillas de la impureza sexual y esperar cosechar relaciones amorosas. La historia de mi amigo atleta del capítulo anterior muestra lo devastador que puede ser cosechar el entumecimiento emocional después de varios años de una conducta autocomplaciente. Si todos los patrones de la creación nos indican que cosechamos lo que sembramos, probablemente deberíamos llegar a la conclusión de que si verdaderamente deseamos cosechar relaciones amorosas, deberíamos plantar las semillas que producen esos resultados, y esas semillas son la pureza sexual.

Andar en amor

Toda la investigación que acabo de citar confirma el tipo de cosecha o resultado en las relaciones que vemos todos los días en la vida de las personas. Si plantamos semillas de lujuria desenfrenada, o semillas de usar y abusar de la gente, o semillas de actividad sexual indiscriminada y placer auto complaciente, no debería sorprendernos ver los campos de maleza perjudicial que cubren nuestra vida. Pero si deseamos cosechar una relación amorosa, profunda e íntima, debemos entender que una relación amorosa exige la pureza sexual. No es optativo. Esta verdad abarca todo lo que hemos dicho hasta ahora.

Cuando examinamos Efesios 5:2-4 y lo que significa "andar en amor", podríamos haber incluido la pureza sexual como una de las ilustraciones principales de cómo lograr ese tipo de vida. Cuando andamos en amor, amamos genuinamente a las personas. Eso incluye acciones que se ponen en práctica y acciones que se reservan para el momento justo. Cuando se ama a alguien de verdad, en lugar de sentir un mero apetito sexual por esa persona, se hace lo que es mejor para ella. Se sacrifica. Se es abnegado. Se da. Se preocupa por ella y lo que ella necesita en lugar de lo que uno quiere. Cuando se actúa de ese modo, se sigue el ejemplo de Cristo.

Por otra parte, amar no consiste solamente en acciones positivas. Si se ama genuinamente a alguien, se elige no hacer ciertas cosas, porque el hacerlas sería perjudicial o arruinaría la relación. Nuestra discusión sobre la inmoralidad, la impureza y la avaricia (Efesios 5:3, 4) trató las numerosas maneras en las cuales nuestra cultura promueve las conductas relacionales destructivas que producen relaciones disfuncionales.

En resumen, Dios está a favor de las relaciones sexuales en el contexto de la pureza sexual. He conocido a muchas personas (yo mismo solía ser una de ellas) que preguntan: *¿En qué lugar de la Biblia dice que está mal tener relaciones sexuales fuera del matrimonio?* Esta pregunta no revela el que sea difícil descubrir lo que la Biblia dice acerca de las relaciones sexuales; revela que la persona no ha leído la Biblia. La receta de Dios se enseña y se ilustra a lo largo de toda la Biblia. Es imposible ser más claro. Las relaciones sexuales fuera del matrimonio están mal. No están mal porque Dios sea mojigato. No están mal porque el sexo sea malo. El amor genuino es generoso y las relaciones sexuales ilícitas tienen que ver con la lujuria y con el egoísmo.

Las relaciones sexuales satisfactorias son en realidad producto de la pureza sexual, ¡verifica la investigación!

Dios protege la intimidad y las relaciones sexuales dentro del amparo del compromiso del matrimonio como reflejo de su santidad y amor. Incorporó en la vida ciertas consecuencias de la conducta despojada de amor, egoísta, destructora, para llamar la atención de las personas y ofrecerles un camino de regreso. Por eso, hay enfermedades. Por eso, se separa la gente. Por eso, cuando las personas viven juntas sin estar casadas disminuye la satisfacción sexual y aumenta el índice de divorcio. Dios nos ama tanto que hay consecuencias cuando se actúa fuera de su voluntad, para nuestro propio bien.

Algunos piensan que van a hacerse los duros con Dios y dicen: *No quiero una relación amorosa si el precio incluye la pureza sexual. Quiero lo que quiero. ¡Quiero satisfacerme y no me importa quién sufra!* La Palabra de Dios promete consecuencias, siendo la última ese juicio terrible del cual leemos en Efesios 5:5: "Está bien. No habrá herencia en el reino de Dios" (mi paráfrasis). Aunque la invitación a "andar en amor" tiene mucho que ver con nuestras relaciones con otras personas, tiene todavía más que ver con nuestra relación con Dios. Junto con el mandamiento de "andar en amor" (Efesios 5:2), encontramos el mandamiento de "andar en la luz" (Efesios 5:8).

Andar en la luz

Después de hablarles a los efesios de la importancia de "andar en amor" y las consecuencias de no hacerlo, el apóstol Pablo se volvió a la cuestión práctica de la receta de Dios para vivir y amar que tenemos en Efesios 5:7-10.

Por eso, no seáis partícipes con ellos; porque si bien en otro tiempo erais tinieblas, ahora sois luz en el Señor.

¡Andad como hijos de luz! Pues el fruto de la luz consiste en toda bondad, justicia y verdad. Aprobad lo que es agradable al Señor.

Pablo dice que una vez que nos damos cuenta de que el mundo no anda en amor, no debemos participar de su manera de vivir. En otras palabras, no seamos sus socios. No nos asociemos. No nos conectemos. No sigamos viviendo como antes. No pensemos como ellos ni miremos lo que miran ellos. No pensemos del sexo como ellos. No busquemos las mismas fantasías sexuales que ellos. ¿Por qué? La próxima frase contesta la pregunta inevitable. "Porque si bien en otro tiempo erais tinieblas, ahora sois luz en el Señor". No se trata de leyes y reglas, se trata de una nueva manera de vivir. La Biblia es constante al describir la óptica del mundo como oscuridad. Una vez que damos entrada a la luz, ya no podemos vivir en la oscuridad.

Recuerdo la oscuridad. Recuerdo la desesperanza y la desesperación de vivir por poco más que para mí mismo. Sé cómo afectó mis relaciones. Sé que tú sabes lo que ha hecho a tus relaciones. Éramos tinieblas. Pero una vez que tú y yo llegamos a conocer a Cristo, nuestro pasado queda atrás para siempre. Yo he sido perdonado y tú has sido perdonado (o puedes serlo, si todavía no has reconocido a Cristo cómo lo que él es). Cuando aceptamos a Cristo, nos arrepentimos de nuestros pecados y recibimos el perdón, el Espíritu de Dios entra en nuestra vida. Somos adoptados en la familia de Dios. Somos "hijos de luz". Hemos sido cambiados. Esta nueva vida que se encuentra en nosotros nos obliga a vivir de una manera nueva y mejor, a la manera de Dios.

A lo mejor te preguntes *¿Cómo es andar en la luz?* Supongo que Dios sabía que haríamos esa pregunta, así que nos dio una respuesta clara en Efesios 5:9. Hay tres tipos de fruto o evidencias de andar en la luz: bondad, justicia y verdad. Voy a definir esas palabras para que puedas imaginarte a ti como hijo de Dios, caminando en la luz en medio de una cultura saturada de sexo.

La palabra **bondad** tiene que ver con el carácter personal. La bondad es el amor en acción. Es el logro de la excelencia moral combinada con un espíritu generoso. Te conviertes en el tipo de persona que no está tratando de tomar, obtener o manipular. Por el contrario, eres el tipo de persona que desea dar, ser de bendición y alentar.

La palabra **justicia** se usaba en la antigua cultura griega para describir a alguien que da a cada persona lo que merece justamente, en relación a Dios y al hombre. La justicia en nuestra vida se traduce en equidad, rectitud y compasión por los demás. Conocemos lo correcto y lo hacemos. No hay motivaciones ocultas.

La **verdad** es una palabra hermosa que merece nuestra continua meditación. Incluye la idea de practicar la integridad y de llevar la belleza a las relaciones. La verdad entraña honestidad, pureza, gracia y entereza. El apóstol estaba diciendo que como hijos de la luz, debemos llevar a cabo nuestras relaciones de tal manera que damos el bien en lugar de tratar de manipular y recibir. ¡Debemos reconocer lo correcto y hacerlo! Debemos construir relaciones donde haya verdad y belleza e intimidad, relaciones que no estén basadas en juegos sino en Dios y en su receta para amar.

Estas dos frases ilustran el sueño que Dios tiene para tu vida: **andar en amor** y **andar en la luz**. El hecho de que estas frases sean extrañas a nuestro vocabulario relacional es evidencia de la oscuridad que sigue filtrándose en nuestra vida y cultura. Toleramos el tema de parejas múltiples. El tema de buscar a alguien por medio de la atracción sexual. El tema de engancharse y meterse en el juego para ver hasta dónde se puede llegar. El tema de tener un matrimonio rutinario y estar secretamente adicto a la pornografía, a contar chistes sucios o ser maestros de las insinuaciones. Esas nubes de oscuridad contaminan y tapan la majestad, la admiración y la belleza de lo que Dios diseñó para nosotros. Él desea algo mucho mejor para ti. Su sueño se caracteriza por relaciones amorosas, que exigen pureza sexual.

A lo mejor la pureza sexual te parezca imposible en este mundo saturado de sexo. Estoy por decirte que no sólo es posible, sino que las recompensas son fenomenales. ¿Qué hace falta para romper los patrones saturados de sexo de nuestra cultura? Hace falta un plan cuidadosamente elaborado. Esto nos lleva al segundo dato acerca de las relaciones sexuales en la receta de Dios.

Hecho 2. La pureza sexual exige un plan

Hasta ahora hemos visto cinco razones sólidas por las cuales tener relaciones sexuales antes del matrimonio es una decisión muy pobre, aun sin tomar en cuenta la evidencia de las Escrituras. Hemos dicho que el plan de Dios demuestra su sabiduría prediciendo lo que la investigación científica confirma. En otras palabras, si sigues la receta de Dios, puedes esperar ciertos resultados:

- Si te mantienes sexualmente puro, puedes esperar mejores relaciones sexuales en el matrimonio.
- Si te mantienes sexualmente puro, puedes esperar que la posibilidad del divorcio disminuya en un 50 por ciento.
- Si te mantienes sexualmente puro, puedes esperar que tu relación dure.
- Si te mantienes sexualmente puro, puedes esperar que

no sufrirás las enfermedades de transmisión sexual que están destruyendo tantas vidas.

- Si te mantienes sexualmente puro y aceptas como posible pareja a alguien que vive según los mismos valores, puedes esperar que cuando se casen, cada uno de ustedes le seguirá siendo fiel al otro.

Pero si te detuvieras aquí, te enfrentarías con un enorme problema. Fracasarás si sales al mundo armado sólo con los datos *intelectuales* acerca de por qué la receta de Dios es un enfoque más lógico y práctico del *amor*, el *sexo* y las *relaciones duraderas*. Desafortunadamente, no tomamos decisiones basadas exclusivamente en nuestro conocimiento intelectual ni en los procesos lógicos, especialmente cuando nuestras hormonas tienen algo que ver. Hace falta mucho más que datos o hechos.

Los humanos somos seres que tomamos algunas de nuestras decisiones más importantes en base a nuestros impulsos y a las presiones de nuestro grupo. Piensa un momento en las miles de personas que conocen los peligros comprobados de fumar, manejar ebrio y comer de más, y cuyas acciones contradicen directamente su conocimiento de los datos. Este mismo principio se aplica a la manera en que manejamos nuestra sexualidad. Los datos no bastan para controlar nuestras acciones.

Me atrevería a adivinar que si cerraras este libro ahora mismo, dentro de las próximas 24 horas sufrirías algunos reveses importantes al tratar de implementar la receta de Dios en tu vida, aunque estuvieras firmemente resuelto a hacerlo. Entre tus costumbres y las trampas de nuestra cultura, eres presa fácil. Antes de que termine el día, tal vez veas un partido de fútbol u otro evento deportivo que incluirá avisos con insinuaciones y mensajes que plantarán pensamientos subliminales en tu mente como: *Si sólo tuvieran este tipo de cerveza, o este tipo*

de automóvil o ese tipo de desodorante, tendría mujeres especta-
culares cayendo rendidas a mis pies. O, si eres mujer, el mensaje
subconsciente sería: *Si empiezo a usar ese tipo de margarina, en*
lugar de la mantequilla o a ponerme esa ropa interior, un hom-
bre hermoso con cabello ondulado y bíceps espectaculares apare-
cería en mi casa y anunciaría: ¡Muñeca! ¡No puedo creer que
solo sea margarina!, ¡no puedo creer que seas tú!

Estoy bromeando, pero el hecho es que tú y yo estamos bom-
bardeados por promociones de la fórmula sexual de Hollywood.
La vida está llena de trampas letales en las cuales caemos por las
cosas que oímos y vemos todo el tiempo. Es cierto que necesitas
buenas y poderosas razones para vivir según la receta de Dios.
Necesitas confiar en su ayuda. Pero necesitas algo más: **¡necesitas**
un plan!

Sin un plan, mantener la pureza sexual no es más que una
ilusión. Si verdaderamente deseas tener una vida sexualmente
pura por todas las razones mencionadas y, lo que es aún más
importante, para agradar a Dios y para prepararte para el mejor
amor, mejores relaciones sexuales y la mejor relación duradera,
hay esperanza. A continuación hay cuatro pasos específicos que
puedes tomar para elaborar un plan para vivir a la manera de
Dios en el campo de la sexualidad.

Paso 1. Desarrollar convicciones

El primer paso es desarrollar convicciones. **La pureza re-**
quiere un compromiso personal con la verdad. La verdad
específica a la cual me refiero se encuentra en los versículos
2-4 de Efesios 5. La verdad prohíbe las relaciones sexuales de
cualquier tipo que estén fuera del diseño ordenado por Dios
de un hombre y una mujer dentro del compromiso del matrimonio. Di con tu corazón y tu mente: *No voy a ir ahí. No me*

voy a dirigir ahí mentalmente. No voy a llegar hasta ahí mientras lo digo. No voy a llegar hasta ahí con mi estilo de vida. Esto lo convierte en un **compromiso personal, una convicción que afectará tus decisiones.** No me refiero a estar de acuerdo intelectualmente con lo que la Biblia dice ni con lo que la investigación ha revelado. No me refiero a adoptar las creencias de otras personas que admiras. Me refiero a una convicción personal en la cual te adueñas de ciertas normas. Desde el fondo del corazón dices: *Me comprometo voluntariamente a vivir con una mente sexualmente pura, un vocabulario sexualmente puro y acciones sexualmente puras. Voy a hacerlo a la manera de Dios, como soltero o casado.*

Me doy cuenta que muchos podrán estar preguntándose la diferencia entre creer algo intelectualmente y tener una convicción. Permíteme darte una ilustración. Cuando recién me había convertido, en mi época universitaria, se me dijo que leyera la Biblia. Leí el Nuevo Testamento varias veces pero por lo general me perdía en el Antiguo Testamento. Participé en algunos estudios bíblicos, pero nuestras discusiones no eran demasiado profundas; sólo asuntos que yo podía manejar.

La pureza requiere un compromiso personal con la verdad.

Estaba estudiando en una facultad de una universidad que me daba ayuda económica a cambio de mi participación atlética y algunas tareas más que se identificarían a medida que se fueran presentando. Como pago de parte de mi pensión, fui nombrado asistente y encargado de un piso del dormitorio. Parte del entrenamiento para esta función era un seminario sobre la clarificación de los valores, que estaba muy en boga en la década de los años 70. Mucho tenía que ver con el mundano sentido común. Pero un ejercicio en grupo cambió mi vida para siempre. Los líderes nos juntaron en el centro de una sala grande, con una raya trazada en el piso de un extremo al otro. Uno de ellos nos explicó que estábamos por contestar varias preguntas importantes, físicamente. La raya en el piso era continua, uno de cuyos extremos representaba acuerdo completo con una declaración y el otro extremo desacuerdo completo. Una vez leída cada declaración, debíamos caminar al lugar en el piso que mejor representara lo que creíamos.

Yo conocía a la mayor parte de los otros estudiantes del grupo y dos de ellas, Diana y Luisa, asistían a un estudio bíblico conmigo. El facilitador dijo: "Ésta es la primera declaración: *Está mal tener relaciones sexuales antes del matrimonio.* Los que estén de acuerdo, vayan a la derecha; los que no están de acuerdo vayan a la izquierda".

De los 70 estudiantes que estaban en la sala, 67 se movieron a una al extremo izquierdo, declarando así (con numerosos comentarios audibles) que estaban en total desacuerdo. Después de todo, era una década en la cual se estaba desatando una revolución sexual. Diana y Julia se fueron al extremo derecho, expresando su total acuerdo con la declaración. Un muchacho caminó hacia Diana y Julia, a unos dos pasos a la derecha del medio de la raya. Ese muchacho era yo.

Tenía un problema. Estaba dispuesto a ir una corta distancia en la dirección correcta, pero no estaba comprometido y no lo tenía bien definido. Tenía un convencimiento intelectual de que estaba mal tener relaciones sexuales antes del matrimonio pero mi convicción no estaba plenamente desarrollada. No creía al punto de actuar abiertamente en base a esa creencia el cien por ciento del tiempo. No hay nada como la presión social o la presión del grupo para demostrar la fuerza de nuestras convicciones (o la falta de las mismas).

Había sido cristiano durante un par de años y me había criado en un hogar con un nivel moral bastante alto. Pensaba que sabía dónde estaba parado, ¡hasta que llegó la hora de pararme! Miré hacia las 67 personas que estaban pensando: *¿Estás loco? ¡Avívate! Los dormitorios mixtos son lo que queremos. El amor libre es la respuesta.* En su mirada podía leer: *¿En serio crees eso?* Más de la mitad eran mujeres, tres o cuatro de las cuales me interesaban. ¿Ves la diferencia? Demostré desdichadamente mi sistema de creencias parciales. Diana y Julia demostraron su convicción.

¿Qué tienes tú cuando se trata de la pureza sexual, un sistema de creencias optativas o convicciones sólidas? Cuando cierres este libro y enciendas el televisor o salgas en tu próxima cita, ¿demostrarán tus acciones lo que verdaderamente crees? ¿Cómo afecta lo que dices creer a lo que haces con tus impulsos sexuales? ¿De qué maneras demuestras tus convicciones cuando entras en la Internet o pasas por el lugar donde venden todas esas revistas? ¿Qué pasa con tus convicciones cuando prendes el televisor y aparece una escena sensual de una telenovela que representa la antítesis de todo lo que crees acerca del amor piadoso? ¿Te atrapa o expresas tus convicciones con el control remoto? ¿Tienes una convicción ante Dios que dice *Voy a cambiar de canal inmediatamente, no porque alguien esté mirando sino porque estoy convencido de que Dios me ama tanto que permitió que Jesús muriera en la cruz por mí para librarme de la conducta autodestructora; se preocupa tanto por mí que voy a vivir a su manera, no por nada ni nadie más; esto es algo entre Dios y yo, aparte de las reacciones y repercusiones de los demás; voy a vivir a la manera de Dios?* Eso es convicción.

Paso 2. Considerar las consecuencias

El segundo paso del plan de Dios es considerar las consecuencias del pecado sexual. Efesios 5:5, 6 menciona algunas consecuencias graves. Las personas que llevan adelante la vida, las relaciones y la actividad sexual fuera de los límites del camino de Dios tarde o temprano experimentarán la ira de Dios. El considerar las consecuencias puede provocar cierto temor, y eso no está mal. El temor puede ser una motivación legítima y sana para demorar la satisfacción.

Debemos considerar detenidamente el precio espiritual de no vivir a la manera de Dios cuando cedemos a la tentación de participar en fantasías o conductas sexuales desviadas. Debemos recordar los sentimientos de culpa y vergüenza que siempre siguen al pecado sexual y cómo afectan nuestra relación con Dios. Debemos forzarnos a calcular el precio en lo referente a la relación, del efecto que tendrá sobre la persona con la cual estamos involucrados o en nuestra pareja o en nuestros hijos. Te sorprendería la potencia del freno de imaginar una vida con SIDA o herpes genital a cambio de unos momentos de placer. O considera el precio final cuando descubres que tu novia está embarazada o cuando tu pasión incontrolada destroza un hogar y terminas perdiéndolo todo por un divorcio.

Me resulta muy sano considerar las consecuencias. Cuando me enfrento con el tipo de tentaciones que tú también enfrentas, esto es lo que hago. Imagino que convoco una conferencia familiar y que siento a mis cuatro hijos en el sofá, mientras mi esposa llora del otro lado de la habitación. Imagino tratar de decirles como, después de todo lo que he predicado durante los últimos 25 años, metí la pata. Me siento humillado al pensar en la expresión de mi hija cuando le cuento que la traicioné a ella y a su madre, o en la mirada de mis hijos si les digo que he estado metido en la pornografía después de todas las conversaciones que hemos tenido acerca de sus peligros. Después de desarrollar todas estas escenas dolorosas de las consecuencias en mi mente, imagino pararme delante de un grupo de personas que han confiado en mí y que han compartido su vida conmigo. Oigo mi voz confesando mi fracaso. Veo la desilusión, el enojo, la tristeza y la pérdida en sus rostros. Oigo los murmullos: *¿Viste? Era todo un engaño. Lo predicaba, pero no lo vivía.*

Esta consideración de las consecuencias debe ser gráfica y honesta. Debe eliminar todo sentido de confianza en uno mismo y en nuestra capacidad para permanecer fieles al plan de Dios por nuestra propia cuenta. La Biblia nos advierte que "el que piensa estar firme, mire que no caiga" (1 Corintios 10:12). Considerar las consecuencias creará un sano sentimiento de temor y te impulsará a Dios, como debería hacerlo.

Si todo esto suena demasiado dramático, piensa en el testimonio de las Escrituras. Cuando leo acerca del rey David, un "varón conforme al corazón de Dios" que fracasó moralmente, me recuerda que todos somos vulnerables. Recuerdo haber estudiado el pasaje sobre el adulterio de David con Betsabé y haber escrito en el margen de mi Biblia: "No era un hombre malo, sino un hombre bueno en un momento de debilidad". Las Escrituras no dejan dudas: cualquier buen hombre o buena mujer, en un momento de debilidad, en ciertas circunstancias, puede excederse moralmente. Esto me dice que hace falta una buena dosis de temor para respaldar mis intensiones. El escritor de los Proverbios nos dice que "el comienzo de la sabiduría es el temor de Jehovah" (9:10a). La sabiduría no se limita a la perspicacia intelectual. La sabiduría es la destreza y la comprensión para vivir a la manera de Dios, para experimentar la bendición y el favor de Dios.

Paso 3. Predecidir las acciones

El tercer paso del plan es tomar decisiones previas. **La toma adelantada de decisiones es esencial para la pureza sexual.**

Efesios 5:7-9 nos dice que andemos como hijos de luz. Hay ciertas áreas de nuestra vida espiritual que exigen que nos plantemos con firmeza y batallemos con el enemigo (véase Efesios 6:10-17), pero hay ciertas áreas de nuestra vida espiritual que exigen que huyamos.

La segunda epístola a Timoteo 2:22 describe lo que significa huir: "Huye, pues, de las pasiones juveniles y sigue la justicia, la fe, el amor y la paz con los que de corazón puro invocan al Señor". La idea es escapar de las pasiones juveniles. No se trata de ser fuerte; se trata de saber cuándo hay que retirarse. Imagina que estás con tu novia o tu novio a las 2:30 de la madrugada, acostados en el sofá. Razonas *estamos viendo una película*. Pero tienes impulsos y hormonas que no obedecen el pensamiento racional. Se aman profundamente y piensan que jamás irían más lejos de lo que están haciendo ahora. Pero mientras permanezcan en ese ambiente tentador, en realidad están facilitando el fracaso, no porque sean débiles, no porque sean tontos, no porque les falte compromiso, sino porque están en una situación tentadora y no tienen la fuerza necesaria para resistirla.

Hay paralelos pertinentes ya sea que se trate de un almuerzo "inocente" con un compañero de trabajo fascinante o de visita a un sitio de pornografía en la Internet. El hecho de ponernos en semejantes situaciones es como abrazar el fuego y después preguntarnos cómo nos quemamos. Tú y yo no somos lo suficientemente fuertes como para enfrentar muchas tentaciones. Nadie lo es. La clave de nuestra respuesta son las decisiones previas. Te daré algunos ejemplos.

Cuando empiezan los chistes sucios en el trabajo o en el lugar donde estudias. Recuerdo la sala de profesores cuando yo enseñaba. Empezaban a contar chistes sucios y yo decía que me tenía que ir. En otras oportunidades comentaba que no me parecían temas apropiados. Toma adelantada de decisiones.

Cuando un programa de televisión se vuelve ofensivo o insinuante. Si hay un programa prendido y la gente comienza a sacarse la ropa y te sientes atraído, usa el control remoto en tu mano, y haz "clic" y desaparécelo. No digas *¡Qué barbaridad! Esto es una vergüenza. No puedo creer que estén pasando esto a esta hora. Los niños no deberían estar expuestos a esto. Espero que mi esposa o mis hijos no se aparezcan mientras miro esto...* Cuando aparece, apágalo. Una decisión previa.

Cuando alguien empieza a coquetear o insinuarse en el supermercado, en la iglesia o en el semáforo. Alguien te guiña el ojo o hace un comentario inapropiado y sientes que comienza tenuemente la melodía del baile. A lo mejor pienses: *¡Esto me hace sentir joven de nuevo! Todavía debo ser atractiva.* O, si eres varón, sacas pecho, contraes el abdomen y piensas: *No puedo mantenerme así mucho tiempo, ¡pero sigo siendo irresistible!* Mucho antes de que se acerque cualquier tipo de participación, toma una decisión previa. Cuando alguien coquetea, ponte seria y déjalo pasar. Y no vuelvas a conectar la mirada.

Los mismos principios atañen a ciertas revistas, tiendas y películas. La decisión previa no tiene que ver con ser legalista; tiene que ver con ser honesto y realista acerca de ti mismo y de la receta de Dios en tu vida. La decisión previa es la marca de una persona que entiende que lo que entra en la mente siempre se manifiesta en la vida. Muchos jugamos al "amor suave" o a la "luz suave", preguntándonos si podemos andar de puntillas en amor en lugar de pisar firmemente, o si podemos caminar en el borde de la luz en lugar del medio del faro concentrado de Dios. Jugamos así: *Veamos, acá está la raya; acá está el pecado evidente. ¿Cuánto podré acercarme sin caer?* Dios no pone barreras y señales de advertencia para que nos acerquemos lo más próximo posible. Más bien, ¡nos las da para que corramos en el sentido contrario!

No te preguntes lo que están haciendo otros cristianos para decidir lo que tú harás. Al juzgar por nuestro índice de divorcio y nuestras familias disfuncionales, demasiados creyentes están cometiendo los mismos errores que comete el mundo. Decimos que vivimos en la Luz, pero frecuentemente vivimos en las tinieblas. Hicimos una encuesta de los niños de sexto grado en una iglesia y descubrimos que el 80 por ciento de ellos veía películas prohibidas para menores de 18 años regularmente. ¿Debería sorprendernos que algunos de sus hermanos mayores buscaran consejo debido a promiscuidad, embarazos y enfermedades de transmisión sexual?

Como hemos dicho, siempre cosechamos lo que sembramos. Plantar convicciones es una decisión previa importante. No esperes maíz si sembraste zapallos. Pero nuestras convicciones tendrán oposición. Cuando digamos que no vamos a ir a cierto lugar y nuestra familia tampoco, nuestros hijos nos dirán que eso no es justo, porque todos sus amigos van ahí. Debemos decidir previamente nuestra respuesta y mantenernos firmes. *No importa. Supongo que yo te amo más de lo que sus padres los aman a ellos.* Esa respuesta funcionó para Theresa y para mí al criar a cuatro hijos activos.

Toma una decisión previa acerca de hasta dónde llegarás cuando salgas con alguien del sexo opuesto. Toma una decisión previa acerca de adónde irás en la cita y acerca de la hora en que volverás a casa. Toma una decisión previa acerca de las fiestas a las cuales asistirás y acerca de cuándo te irás. Toma una decisión previa acerca de lo que harás cuando veas ciertas revistas o películas. Toma una decisión previa acerca de lo que contestarás cuando un cónyuge ajeno, del sexo opuesto, comience a contarte de problemas y disgustos en su hogar y a compartir cosas que no debes oír. *Es evidente que necesitas hablar con un consejero o con alguien que realmente pueda ayudarte. O ¿quieres hablar con mi esposa?* Parece grosero interrumpir a alguien que parece estar pidiendo ayuda, pero en realidad somos de más ayuda alejándonos de esa situación. Las buenas intenciones pueden convertirse fácilmente en terribles errores.

Paso 4. Buscar responsabilidad

Desarrollar convicciones, considerar las consecuencias, tomar decisiones previas y, por último, el cuarto paso: buscar voluntariamente la responsabilidad. Pedir a otros que te ayuden a respetar tus compromisos con Dios te ayudará a andar de una manera que complace a Dios. Identifica a dos o tres personas que verificarán tus compromisos abierta y regularmente. La Biblia no nos pide: "anda en la luz tú solo"; más bien: "andad como hijos de luz". La receta de Dios para vivir y amar debe ser llevada a cabo por personas en comunidad. Todos los mandamientos que encuentro en el Nuevo Testamento están en la segunda persona del plural. Para los españoles es "vosotros" y para loslatinoamericanos es "ustedes". No puedo hacer esto solo, y tú tampoco. Pero juntos podemos experimentar el poder y la comunión de Dios.

> Pedir a otros que te ayuden a respetar tus compromisos con Dios te ayudará a andar de una manera que complace a Dios.

Hace años que tengo un grupo de responsabilidad. De hecho, los ancianos, el personal y los equipos ministeriales de nuestra iglesia tienen un factor de responsabilidad incorporado. Durante una reunión reciente nos separamos en grupos de tres y nos preguntamos: *¿Cómo anda tu vida de pensamiento? ¿Cómo anda tu relación sexual y tu pureza? ¿Qué pasos específicos necesitas tomar para fortalecer esa área ante Dios?* Hablamos sin tapujos. Nos aceptamos mutuamente. Sabemos y prevemos que habrá fracasos de tanto en tanto y que deberemos ayudarnos y fortalecernos mutuamente antes de poder retomar el camino y andar en pureza.

¿Hay alguien en quien verdaderamente puedas confiar y que te hará este tipo de preguntas? Debes decidir previamente que tendrás ese tipo de relación o fracasarás. Pero recordemos que ningún grupo de responsabilidad es a prueba de fallas. Todos somos engañados fácilmente y podemos mentirnos los unos a los otros, aun en grupos de responsabilidad creados para ser abiertos y honestos. Uno de mis compromisos es decir la verdad aunque sea incómoda o amenace las impresiones que los demás tengan de mí. Todos necesitamos la responsabilidad desesperadamente. ¿Por qué? En las palabras del pensamiento final de Efesios 5:8-10, para aprender "lo que es agradable al Señor". Un pequeño grupo de creyentes consagrados puede hacer maravillas en sus vidas usando este proceso de responsabilidad honesta, desde el alma.

Dios quiere todo tu ser

Permíteme cerrar este capítulo con los siguientes pensamientos. El apóstol Pablo dice en Romanos 12:1: *"Así que, hermanos, os ruego por las misericordias de Dios"*; esto es lo que quiero que hagas, lo que te aliento a hacer: *"que presentéis vuestros cuerpos como sacrificio vivo"*. Dios no quiere tu religión, no quiere tu dinero y no quiere tus buenas obras. Te quiere a ti, con cuerpo y todo. Lo demás fluye de este compromiso básico.

¿De qué tipo de "sacrificio vivo" está hablando? Uno que es *"santo y agradable a Dios, que es vuestro culto racional"*. La mejor forma de decir que sí al amor genuino y que no a las relaciones sexuales de segunda categoría es ir a nuestro Creador y darnos enteramente a él. Ser un "sacrificio vivo" es una gran paradoja y es la mejor vida que se puede tener. Significa embarcarse en una aventura diaria en la cual cada decisión, cada acción, cada pensamiento y cada intención pueda rastrear el deseo de vivir en forma sacrificial para Dios. Significa sacrificar costumbres cómodas pero pecaminosas para decir que sí al amor. Significa tomar decisiones anticipadas en áreas importantes de la vida porque ya sabemos que si esperamos hasta el último momento, nuestras decisiones estarán equivocadas. ¡Pero también significa estar verdaderamente vivos!

Romanos 12:2 continúa el pensamiento: *"No os conforméis a este mundo; más bien, transformaos por la renovación de vuestro entendimiento"*. A lo largo de este libro hemos estado desafiando la fórmula y el patrón que gobierna este mundo. Nuestro objetivo es romper ese patrón, ese molde, y vivir libremente según la receta de Dios, especialmente en los aspectos relacionales y sexuales de la vida. Aquí se nos dice que este proceso requerirá la transformación de nuestra mente. ¿Cómo? Renovando nuestras mentes, entrenándolas a encarar la vida desde un marco mental distinto.

La razón por la cual yo he decidido anticipadamente no ver películas prohibidas para menores de 18 años ni ver desnudez de ningún tipo no es porque sea mojigato. Sencillamente, sé que pondrá pensamientos en mi mente que me perseguirán y me tentarán. Si siembro estas imágenes en mi mente, segaré resultados que no deseo. De modo que he desarrollado algunas convicciones específicas que son buenas para mí. He considerado las consecuencias del fracaso y he tomado anticipadamente algunas decisiones acerca de las cosas que pensaré, veré y haré. Tengo algunos amigos íntimos para ayudarme a guardar mis compromisos con Dios. Los resultados no han sido una vida de restricciones y frustraciones, sino una vida mejor de la que pude imaginar. Pienso frecuente y agradecidamente en todo lo que Dios me ha permitido compartir con Theresa durante los últimos 25 años en cuanto al amor, al sexo y a una relación duradera y segura. Me recuerda la última parte de Romanos 12:2, que promete que a medida que digamos que no al sistema del mundo y que sí al camino de Dios, podremos comprobar *"cuál sea la voluntad de Dios, buena, agradable y perfecta"*.

¿Ha sido difícil la lucha para lograr la pureza sexual? ¡Sí! ¿Ha sido contracultural? ¡Sí! ¿He tenido que tomar decisiones difíciles acerca de posponer el placer? ¡Ya lo creo! ¿He tenido que convertir la renovación de mi mente en una prioridad? ¡Por supuesto! Pero debo decirte que la profundidad del amor y la riqueza de la relación que anhelas sólo se consiguen cuando cooperas con el diseño del Creador.

¿Y tú? ¿Cómo describirías el estado actual de tus relaciones? ¿Es la pureza sexual una fortaleza en tu vida o es un área de lucha, frustración y culpa? ¿Estás dispuesto a detenerte, dar un paso hacia atrás y reevaluar tus actitudes y tus acciones en cuanto a la pureza sexual? ¿Estarías dispuesto a considerar en oración el desarrollo de convicciones específicas en este campo y elaborar un plan personal para tu vida?

Las siguientes preguntas te ayudarán a comenzar el peregrinaje. Una vez que hayas terminado el trabajo individual, espero que encuentres un amigo o pastor maduro y confiable con quien hablar acerca de cómo implementar el plan que Dios te ha dado. ¿Por qué? Porque la relación amorosa que deseas exige la pureza sexual; ¡y la pureza sexual exige un plan!

Evaluación personal

1. Cuando leíste los cinco datos estadísticos acerca de las relaciones sexuales en la primera parte del capítulo, ¿cuáles fueron de mayor incentivo para la pureza sexual? ¿Por qué?

2. ¿De qué maneras ha demostrado la historia de tu vida sexual la verdad de este capítulo?

3. ¿En qué grado te hacen aceptar las lecciones y el dolor del pasado que el camino de Dios es lo mejor para tu vida?

4. ¿Cuáles de los cuatro aspectos del "plan de Dios para la pureza sexual" necesitas poner en práctica esta semana?

    a. Desarrollar convicciones
    b. Considerar las consecuencias
    c. Decidir anticipadamente las acciones
    d. Buscar responsabilidad

5. Anota dos o tres nombres de personas a las cuales les has pedido o les pedirás que te ayuden a guardar tus compromisos y tu plan.

9

El romance de la pureza

Un día, salí de la concurrida vereda de la ciudadela universitaria para admirar la vista que tenía ante mí. El vigorizante aire otoñal de las colinas despertaba todos mis sentidos y el telón azul del cielo resaltaba todos los demás colores. Por la vereda pasaba un desfile aparentemente interminable y fascinante de mujeres. Jóvenes, enérgicas, vibrantes y hermosas: eran una fuente de tentación continua y casi irresistible para mí. Aunque tenían una variedad asombrosa de formas, tamaños y tonos de piel, descubrí que notaba y admiraba algo en casi todas ellas. Con frecuencia iba más allá de la admiración. En la proporción de estudiantes, las mujeres aventajaban a los varones cuatro a uno.

Aunque los recuerdos tengan más de 30 años, permanecen

vívidos. No recuerdo los rostros de las muchachas y nunca supe el nombre de muchas de ellas, pero recuerdo claramente la batalla interna que se libraba en mi corazón y en mi mente en esa época entre tantas imágenes, sonidos y fragancias de belleza. Había sido cristiano menos de dos años y recién comenzaba a experimentar la verdadera lucha entre las costumbres arraigadas de mi pasado y los nuevos deseos que Cristo había puesto en mi corazón. Cuando era cuestión de mis intenciones de tratar a las mujeres con respeto y pureza, ¡descubrí una interpretación nueva de lo que significa la frase bíblica "el espíritu está dispuesto; pero la carne es débil". Las miradas teñidas de deseo eran instintivas. Un sentimiento de culpa constante hacía que estuviera desesperado por encontrar soluciones, y pocas de ellas eran prácticas. Una parte de mí quería andar con los ojos cerrados todo el tiempo y otra parte de mí se burlaba de la idea porque ya tenía bastantes imágenes grabadas para pasar por la pantalla interna de mis párpados.

Sabía que cuando Dios perdonó mis pecados me había puesto en un nuevo camino. No había duda que estaba caminando con Cristo, pero seguía llevando mucha carga del pasado. Las lecciones que había aprendido del mundo acerca de la manera de llevar a cabo las relaciones no habían sido desafiadas. De hecho, mis fracasos continuos en las relaciones y las recaídas en la lascivia parecían agregar más carga todos los días. Por fin le expresé mi frustración a Dios. Le pregunté: *¿Por qué me diste todas estas hormonas y todos estos deseos, me mandaste a una universidad donde hay cuatro mujeres por cada varón y después me recuerdas que la manera que quiero mirar y las cosas que quiero hacer están prohibidas? ¿Es una broma cruel? ¿Eres un aguafiestas cósmico?*

Por supuesto que el enojarme con Dios no alivió para nada mi carga de culpa, así que trataba de equilibrar el peso tomando nuevos compromisos para mantener la pureza a pura voluntad. Le hice promesas con lágrimas en mis ojos a Dios acerca de evitar el pecado que atacaba antes de que se me secaran las lágrimas. Realmente, no entendía el plan de Dios. No tenía el trasfondo de entendimiento bíblico ni ejemplos de vida que me dieran esperanza. No entendía el carácter de Dios y no estaba realmente convencido de que sabía lo que era mejor para mí, no sólo para la eternidad sino para mi vida diaria. Mis fracasos continuos sencillamente amontonaban sobre mí sentimientos de impotencia, estupidez y descontento.

El amor en acción

A pesar de toda esta confusión, Dios siguió obrando en mi vida. Durante todo este tiempo de agitación, me congregué en una iglesia pequeña de un pueblo donde un almacén, una estación de servicio, el correo, un bar y otra iglesia igualmente pequeña compartían la calle principal. La población universitaria era mayor que la del pueblo por varias miles de personas, pero me hacía bien estar en la iglesia todas las semanas con gente que no era de mi edad. En esa iglesia conocí a una pareja, Dave y Lanny, que se habían convertido aproximadamente al mismo tiempo que yo. Debo admitir que me parecían bastante viejos con sus 30 años ya cumplidos, pero como yo recién había cumplido 20, me impactó su madurez.

Dave y Lanny iniciaron nuestra relación cuando me invitaron a comer. Me metí en mi pequeño Volkswagen y atravesé los siete u ocho kilómetros hasta llegar a su casa. Una comida casera gratis sonaba a manjar para mis oídos y mi estómago. Nunca había pensado en ellos como pobres, pero vivían en una casa muy vieja. El jardín estaba limpio, pero sin hierba, con algunas hojas perdidas de pasto, gastadas por dos niños activos. La casa era de madera blanca con pintura descascarada, pero las luces en las ventanas brillaban dándome la bienvenida esa noche. Adentro me recibieron aromas deliciosos y las sonrisas de los niños. Cuando Dave tomó mi saco, vi que tenían pocos muebles y que en lugar de algunas puertas había sábanas. Ninguna de las sillas en la cocina hacía juego con la mesa de diseño chillón y patas metálicas de forma excéntrica. Pero un mantel sencillo cubría la mayor parte de la mesa y la vajilla barata cumplía su propósito principal, el de cargar montones de puré, salsa y carne mientras yo satisfacía mi hambre.

Las imágenes de mis recuerdos de esa noche desbordan de extravagancia, no por el marco sino por la abundancia de amor que llenaba esa cocina. Me sentí rodeado, exaltado y luego llenado por él. Satisfacía más que la deliciosa comida y, sin embargo, era tan sencillo que a lo mejor no lo habría notado mirando desde afuera. Dave, Lanny y sus dos hijos, de cinco y tres años, le hicieron lugar a un estudiante en su hogar esa noche y me dieron un regalo que he atesorado desde ese momento. El efecto fue sutil. Sencillamente nos sentamos, comimos, hablamos y nos reímos en familia. Me absorbió su integridad. Todas mis luchas hormonales y mis esfuerzos por hacer lo correcto fueron sometidos a una nueva influencia esa noche. Varias veces durante la comida observé cómo Dave miraba a su esposa. A veces sus dedos rozaban cuando se pasaban un plato. Y vi la sonrisa que Lanny tenía para él. Me daba cuenta que era más que una buena amistad. Estaban entusiasmados el uno por el otro. Había calidez en ese hogar, y los niños parecían bañados en el resplandor del amor de sus padres. Mucho antes de que llegara el postre, descubrí que estaba pensando: *No sé qué me espera en el futuro, pero algún día quiero tener lo que veo alrededor de esta mesa.*

Cuando terminó la cena, los párpados pesados y los bostezos anunciaban que era hora de acostar a los niños. Dave me dijo:

—Discúlpanos un momento. Somos cristianos bastante nuevos, así que todavía estamos tratando de ordenar algunas cosas, pero tenemos una pequeña rutina para la noche.

—Adelante. No se preocupen por mí —contesté.

Desaparecieron detrás de una sábana que cubría la entrada a la habitación de los niños y me quedé sentado en la mesa, fascinado por lo que pasaba. Oí instrucciones murmuradas y sonidos suaves y podía ver que la pequeña familia se arrodillaba junto a una cama. Mamá ayudaba a los pequeños a juntar las manos y papá compartía algo acerca de quién era Jesús y cuánto los amaba a ellos y a su nuevo amigo, Chip. Después oró Dave, seguido por Lanny, y entonces escuché las voces de esos niños, hablando con sencillez y confianza a su Padre celestial. Después se escucharon los sonidos de acomodar la ropa de cama, risas, abrazos y besos. Dave y Lanny volvieron y seguimos charlando un rato más, compartiendo café y pastel de manzana. La noche pasó volando, pero no me quería ir.

Recuerdo claramente el regreso a la universidad. En ese camino de campo ventoso, tuve una conversación seria con Dios: *Señor, eso es lo que quiero. Más que una experiencia intensa, más que algún placer, más que manipular a una chica, tengo dentro de mí un hambre profunda por lo que ellos tienen. Eso es lo que quiero. Quiero una relación como la de ellos. Quiero una familia como la de ellos. Señor, ¿cómo puedo lograrlo?*

Fue como si el Espíritu de Dios me hubiera hablado casi audiblemente: *Chip, ¿viste esos límites contra los cuales siempre estás luchando? ¿Viste esos mandamientos que te di que no entiendes? ¿Viste esos conceptos acerca de la pureza? La razón que te los di no era para reducir tu placer. Quiero aumentarlo. Quiero que esperes, no porque no quiera que tengas lo mejor, sino porque quiero que tengas lo mejor que pueda haber.*

Al llegar, Romanos 8:32 se me prendió en el cerebro como

un cartel de neón: "El que no eximió ni a su propio Hijo, sino que lo entregó por todos nosotros, ¿cómo no nos dará gratuitamente también con él todas las cosas?". En el momento de repetir las palabras en voz alta, sabía que se aplicaban a mí de forma inmediata, transformadora. No puedo describir lo que pasó esa noche más allá de decir que mi cerebro dio un giro de 180 grados. Me di cuenta de que el propósito detrás de todos los mandamientos de Dios era su amor por nosotros. ¡Dios estaba de mi lado! Dios me dio todas esas instrucciones y me hizo sentir triste y culpable cuando las violaba o dudaba porque quería que yo tuviera lo que esa pequeña familia tenía. Sabía que cualquier otra manera de enfocar las relaciones sería de segunda. Todo lo demás está lleno de dolor, de destrucción, de usar a las personas y de todo tipo de decisiones que causan tristeza. Esa pequeña experiencia fue como una fotografía clara e inolvidable de lo que significa andar en la luz.

> **Me di cuenta de que el propósito detrás de todos los mandamientos de Dios era su amor por nosotros. ¡Dios estaba de mi lado!**

Desde esa noche, mi vida tomó un nuevo rumbo en cuanto al tema de la pureza sexual. ¿Seguí teniendo luchas? Sí. ¿Seguí haciendo algunas cosas que me avergonzaban? Sí. ¿Tuve altibajos? ¡Ya lo creo! Pero en lugar de imaginarme a Dios del otro lado del cerco dándome órdenes difíciles que eliminaban toda la diversión de la vida, ahora entendía que Dios estaba de mi lado, y que me estaba ayudando a lograr lo mejor, porque yo era su hijo.

La Biblia indica que donde no hay visión, donde no hay revelación en el sentido que no hay verdad de la Palabra de Dios, la gente se mueve sin límites, fuera de control, sin dirección, *"pero el [o la] que guarda la ley [la Palabra de Dios] es bien-*

aventurado(a) [feliz]" (Proverbios 29:18). Esa noche tomé una decisión porque vi la verdad en la Palabra de Dios y porque fui testigo de la verdad de Dios en acción. En mi corazón dije: *Señor, estoy dispuesto a hacer las cosas a tu manera porque no importa lo que cueste o lo difícil que sea el camino, lo que vi y sentí esta noche es lo que quiero en mi vida.* Dios ha sido abundantemente fiel a cada parte de su lección en los años que han transcurrido desde esa noche.

El poder de la luz

El canto de amor que hemos estado escuchando a lo largo de Efesios 5 comienza con un sencillo preludio, una melodía persistente acerca de "andar en amor". Reconocemos la tonada en todas las áreas de la vida pero nos preguntamos si alguna vez podremos cantar nosotros también. En los versículos iniciales, la melodía alterna entre sonidos pesados de advertencia y precaución (evitar la inmoralidad sexual, la impureza y la avaricia) y los sonidos livianos y elevados del canto de amor de Cristo, recordando la medida en la cual expresó su amor así como el llamado a imitarlo en nuestra manera de amar. La música aumenta en volumen y claridad, incluyendo la letra sobre "andar en la luz" y proclamando la naturaleza de la vida piadosa que exhibe bondad, rectitud y verdad. Ahora estamos listos para el clímax o crescendo final de la verdad.

El pasaje final que consideraremos en Efesios 5 comienza con una melodía, más suave y triste, de advertencia y dolor por la condición del mundo y hasta dónde debemos ir para que no se nos vuelva a arrastrar a una forma de vida que ya no deseamos. Lleva a un crescendo de verdad que nos trae a un punto de decisión. Efesios 5:11-14 nos dice por qué la vida sexual es algo tan serio para Dios:

No tengáis ninguna participación en las infructuosas obras
de las tinieblas; sino más bien, denunciadlas. Porque da
vergüenza aun mencionar lo que ellos hacen en secreto.
Pero cuando son denunciadas, todas las cosas son puestas
en evidencia por la luz; pues lo que hace que todo sea visi-
ble es la luz. Por eso dice:
"¡Despiértate, tú que duermes,
y levántate de entre los muertos,
y te alumbrará Cristo!".

Es evidente que el tema de estos versículos es la conducta
sexual. El mandamiento riguroso nos prohíbe "participar en estas
actividades", lo cual significa no conectarse ni asociarse con este
modo de vida. Observa que deben evitarse las "obras de las tinieblas", no las personas. Jesús se asociaba con muchas personas
que practicaban la inmoralidad sexual, pero no participaba en
ella. De hecho, su presencia lograba lo que
la próxima frase describe: Jesús denunciaba
la inmoralidad. La palabra *denunciar* tiene
una connotación interesante. Significa
"convencer o desaprobar". Se utiliza a lo
largo del Nuevo Testamento para llevar algo a la luz para que se pueda ver claramente el objeto, la actitud o la persona.
¿Por qué es necesaria la denuncia? El próximo versículo brinda la razón: porque es
vergonzoso y deshonroso hablar de estas
cosas secretas. Dios considera la vida sexual
algo tan misterioso y santo que el pueblo de Dios tiene prohi-
bido aun hablar de la perversión sexual.

> Hemos de
> denunciar
> la actitud
> disfuncional del
> mundo hacia el
> sexo no por lo
> que digamos,
> sino por nuestra
> forma de vivir.

Si sigues esta línea de razonamiento, puedes ver que tenemos
un problema. ¿Cómo vamos a denunciar aquello de lo cual es

deshonroso hablar? ¿Cómo vamos a iluminar con la luz de la verdad los secretos vergonzosos de la vida de las personas si no hablamos de estas cosas? Efesios 5:13 nos da la respuesta.

La idea es que la manera de reprender al mundo no es juntarse para hablar de todos los aspectos pervertidos del sexo fuera del matrimonio. Esas discusiones pueden convertirse fácilmente en estimulación verbal. Se nos dice que no hagamos eso. No se denuncia la inmoralidad hablando; *se denuncia con la luz.* Ése es el mensaje del versículo 13. La imagen poderosa de la luz ilumina todos estos versículos. Los que "andan en luz" denuncian los hechos realizados en las tinieblas con la luz de su vida. Hemos de denunciar la actitud disfuncional del mundo hacia el sexo no por lo que digamos, sino por nuestra forma de vivir. Hablar en este contexto es como maldecir la oscuridad, cuando podríamos avanzar mucho más encendiendo una luz.

La luz tiene un efecto transformador asombroso en todas las situaciones. Jesús tenía un propósito en mente cuando nos dijo que somos la luz del mundo (Mateo 5:14-16). La luz no hace ruido; es silenciosa. Jesús no nos dijo que tenemos que gritar más fuerte que el mundo sino que debemos reflejar su luz. En la oscuridad, nuestras voces se pierden entre otras voces. Pero la oscuridad se esconde ante la luz. Hay ciertos tipos de bacterias que se multiplican explosivamente en la oscuridad, pero en cuanto quedan expuestas a la luz del sol, mueren instantáneamente. Lo que ocurre en el mundo físico también ocurre en el mundo espiritual. Juan 3:19-21 describe el efecto que Jesús tuvo en el mundo: *"Y ésta es la condenación: que la luz ha venido al mundo, y los hombres amaron más las tinieblas que la luz, porque sus obras eran malas. Porque todo aquel que practica lo malo aborrece la luz, y no viene a la luz, para que sus obras no sean censuradas. Pero el que hace la verdad viene a la luz para que sus obras sean manifiestas, que son hechas en Dios".*

El despertador de Dios

Al llegar a las secciones finales de este libro, estoy muy consciente de que el lector común no es necesariamente alguien que se sienta confiado en el arte de las relaciones. Sé que los que vienen angustiados y cargados serán mucho más numerosos que los que recién empiezan con el deseo de hacer las cosas a la manera de Dios desde el inicio. Es posible que hayas sentido desesperanza al leer mi historia porque te parece que es demasiado tarde para ti. Cada vez que he mencionado el tema de la esperanza en estas páginas, lo he hecho teniendo en mente las preguntas de tantos que preguntan temerosamente: *Después de todo lo que hecho, ¿puede Dios realmente hacer algo con mi vida? Después de todos mis errores involuntarios y mis decisiones voluntarias y obstinadas de ir en contra de Dios, ¿todavía puedo experimentar su misericordia y su sanidad? ¿Qué puede hacer Dios con una vida llena de tantas cosas que parecen no poder deshacerse?*

Mi respuesta a todas esas preguntas es la misma. La gracia de Dios, aplicada por medio de Jesucristo, es más grande de lo que puedas imaginar. Al leer estas palabras hoy, lo que realmente importa no es lo que ya hayas hecho, sino lo que vas a hacer de ahora en adelante. Es el momento de oír el despertador de Dios.

¡Despiértate! Cuando se trata del *amor*, el *sexo* y las *relaciones duraderas*, nuestra cultura ha estado dormida en el volante durante muchos años. Hasta los cristianos se durmieron cuando tenían que haber estado prestando atención. ¡Despiértate! Hay una mejor manera de llevar a cabo las relaciones: ¡la manera de Dios! Los versículos de las Escrituras que hemos mirado repetidamente en este libro incluyen un crescendo de verdad para los que desean experimentar todo lo que Dios ha planeado para ellos.

Como ya hemos descubierto, a lo largo de las Escrituras descubrimos que hay una intersección entre la sexualidad y la adoración. Dios nos ha dado un botón de pasión en el corazón. El Dios que disfruta profundamente del acto de creación y que nos hizo a su imagen nos dio un sentimiento paralelo de placer en el acto de la creación. La sexualidad contiene ese misterio divino. Esto explica la razón por la cual casi todas las religiones falsas incluyen algún tipo de expresión sexual. Esto también explica por qué nunca he conocido un hombre o una mujer con una vida victoriosa, de íntima relación con Dios que no haya enfrentado los temas sexuales en su vida. Porque mientras no te vuelvas puro, hasta que no pienses, hables y pongas en práctica los mandamientos de Dios en el ámbito sexual, siempre estarás envuelto, consciente o inconscientemente, en una adoración falsa. Tu adoración será para tus deseos y lascivia, e incluirá usar a las personas para lograr el fin de tu adoración, que es satisfacerte a ti mismo. Jesús declaró que nadie puede servir a dos amos (Mateo 6:24). Si no estamos sirviendo a Dios conscientemente, nos estamos sirviendo a nosotros mismos de alguna manera. Es hora de declarar a quién adoraremos con nuestra vida, además de con nuestros labios.

Amor, sexo y evangelio

Esa noche hace tanto tiempo en West Virginia, yo estaba visitando a una familia amistosa, pero en realidad entré en la luz. La luz de Dave y Lanny y los productos vivos de ese amor, dos hermosos hijos, denunció mi vida. Bajo su techo pude disfrutar del resplandor de la pureza sexual y de relaciones amorosas y duraderas. Esa luz denunció mi perspectiva pervertida del sexo y mi perspectiva torcida de las relaciones. No tenía dónde esconderme, y no quería hacerlo. Dave y Lanny no hurgaron en mi pasado ni lanzaron acusaciones acerca de "la conducta de los estudiantes". Sin embargo, a la luz de lo que Dios les había dado, vi quién era yo en cuanto a la pureza.

La luz no sólo me obligó a tomar una decisión (seguir en la oscuridad o andar en la luz), sino que parecía fluir dentro de mí dándome la fuerza para decir: "Voy a vivir la vida a la manera de Dios". Empecé a aprender esa noche por qué el sexo es algo tan serio para Dios. El sexo y la relación que él diseñó para protegerlo y nutrirlo resulta ser una de las herramientas evangelísticas más fuertes de los cristianos. El *amor*, el *sexo* y las *relaciones duraderas* hechas a la manera de Dios presentan un argumento irrefutable a favor del evangelio de Jesucristo.

De hecho, observa las últimas palabras de los versículos que citamos de Efesios:

> *"Por eso dice: '¡Despiértate, tú que duermes,*
> *y levántate de entre los muertos,*
> *y te alumbrará Cristo!' "*.

Cuando el mundo incrédulo ve que vivimos vidas sexualmente puras y relaciones profundas, amorosas y auténticas, será llevado a tomar la misma decisión que yo enfrenté al volver de la casa de Dave y Lanny. La luz que brilla cuando la receta de vida de Dios fluye en nuestra vida ayudará a estas personas a ver sus costumbres sexuales de una manera totalmente distinta y les mostrará su necesidad de Cristo.

El versículo nos dice que nos despertemos y que nos levantemos. Hay un mundo que anda sonámbulo por la vida, siguiendo una pesadilla en lugar de la verdad. Están tratando de relacionarse unos con otros. Desean ser amados. Anhelan conectarse. Tienen hormonas y no saben cómo funcionan, así que prueban la fórmula que se les murmura al oído. La ven actuada en la pantalla por personas cuyas vidas reales muestran que no pueden vivir de la manera que lo hacen sus personajes. Cuando los sonámbulos descubren que la fórmula de Hollywood no funciona con una persona, prueban con otra, y luego otra, a un paso de la desesperación.

Algunos de los sonámbulos se dan por vencidos con las personas reales y se sumergen en la penumbra de la pornografía o se sientan frente a la pantalla de la computadora y entablan múltiples *Cyber-relationships* (relaciones por medio de Internet), con intimidad falsa. Se llenan la cabeza de imágenes que terminan por distorsionar la verdad aún más. Considéralo de la siguiente manera. ¿Cuántos dispositivos puedes nombrar que cada uno de nosotros tiene a mano y cuyo propósito principal es asegurar que las personas sigan sonámbulas por la vida, con los ojos bien cerrados contra la luz de la verdad? ¿Es posible que la mayor parte de lo que llamamos entretenimiento sea un sedante que evita que despertemos a la luz?

El problema más grande de andar sonámbulo por la vida es que no se vive de verdad. Se termina en caos; desesperación, destrucción, dolor, enfermedad sexual, hogares rotos y escombros relacionales. Jesús dijo que vino para que pudiéramos tener vida, ¡vida de verdad! (Ver Juan 10:10). En medio de este mundo de tinieblas, Dios nos llama a vivir de manera agradable y amorosa para que Cristo brille en los que se despiertan y esto les dé vida abundante. **Así como la luz revela silenciosamente lo que verdaderamente son las cosas, cuando el pueblo de Dios "modela" la pureza y el amor en sus relaciones sucede lo mismo. Denuncia la inmoralidad sexual y muestra lo que verdaderamente es: adoración lasciva y destructora hacia sí mismo.**

¡La recompensa por la pureza sexual es tremenda!

A esta altura, es posible que la cabeza te esté dando vueltas. Atrapado en medio de una situación terrible, abrumado por los fracasos pasados o lleno de dudas, a lo mejor estés pensando: *Ni siquiera puedo empezar a imaginar que mi vida pudiera ser luz para otro. Yo conozco la oscuridad. ¿Cómo puedo reflejar la luz de Dios para otros cuando todavía paso tanto tiempo sonámbulo?*

Puedo asegurarte que Dios entiende todo lo que estás pasando y quiere ayudarte. A lo mejor parezca alto el precio de la pureza, pero las recompensas son tremendas.

A lo mejor hayas pensado lo siguiente varias veces al leer estos capítulos: *Chip, tus noticias me llegaron demasiado tarde. No conoces mi historia. He buscado la intimidad de todas las maneras equivocadas. He tratado de pertenecer a todos los lugares equivocados. He tenido varias relaciones: sólo me quedaron cicatrices emocionales.*

Tienes razón: no conozco tu historia, pero Dios sí la conoce. Conoce cada detalle íntimo, vergonzoso y triste. Su amor por ti no ha cambiado ni siquiera por un instante. Nunca es demasiado tarde. Puedes trazar una línea en la arena y decir: *Por la gracia de Dios, voy a Jesús. Voy a decirle que me arrepiento de mi pasado. Voy a pedirle que me perdone. Voy a comprometerme para que mi mente, mis palabras y mi vida de ahora en adelante, por el poder y la fuerza de él, sean puras. Basado en la gracia y el perdón de Cristo, voy a considerarme nuevamente 'virgen' mentalmente, espiritualmente y hasta físicamente. ¡Voy a comenzar a andar en amor y en luz!* ¿Suena increíble? Lo es. Hasta milagroso. Ése es el romanticismo de la pureza, y Dios quiere compartirlo contigo.

¿Habrá consecuencias que enfrentar? Por supuesto. ¿Cargas de las cuales hay que desprenderse con la ayuda de Dios? Claro.

No puedes imaginar lo profundo y lo maravilloso de la gracia de Dios, pero puedes comenzar a entenderla confiando en él. Te perdonará. Te limpiará y te restaurará. Ni Theresa ni yo nos criamos en hogares cristianos. Lo que he compartido contigo en este libro era completamente extraño para nosotros aun después de haber llegado a una fe personal en Cristo. Afortunadamente, al principio de nuestro peregrinaje espiritual, Dios introdujo guías sabias en nuestra vida para ayudarnos a enfrentar la culpa del pasado, a descargar basura y a aprender la receta de Dios para las relaciones.

Cuando Theresa y yo nos conocimos, los dos nos habíamos propuesto abandonar la fórmula de Hollywood y construir nuestras relaciones de acuerdo con el diseño y la receta de Dios.

Comenzamos aprendiendo a comunicarnos abierta y honestamente como amigos. Convertimos los aspectos espirituales de nuestra relación en la primera prioridad. Elaboramos un plan sencillo para nuestra relación y nos hicimos mutuamente responsables de nuestras acciones. Pusimos un freno en los aspectos románticos y físicos de nuestra relación, avanzando sabia y lentamente con la dirección del Señor. Aprendimos acerca del amor del otro por Dios observándonos en entornos no románticos que permitían y exigían que fuéramos auténticos en lugar de participar en un juego.

¿Tuvimos luchas y momentos difíciles? Sí. ¿Tuvimos que deshacernos del bagaje del pasado y aprender una nueva manera de relacionarnos sin muchos ejemplos para guiarnos? Por cierto. ¿Lo hicimos perfectamente? No. Pero mirando hacia atrás, veo que aun dos personas con "pasados" que debían dejar atrás fueron guiadas por Dios a desarrollar su relación de manera revolucionaria. El seguir la receta de Dios ha resultado en el tipo de *amor, sexo* y *relación duradera* (casi 25 años) que ninguno de los dos creíamos que fuera posible. Lo que quiero decir es sencillo. Dios puede y hará por ti lo que hizo por nosotros, sin importar cuánto de cargas negativas tengas.

Una palabra para aquellos que son vírgenes

No sea cosa que supongamos ni que demos la impresión de que "todos lo están haciendo", tengo una importante palabra de aliento para aquellos que son vírgenes. Tras una presentación reciente de estas ideas, un hombre de 33 años se me acercó. Miró para asegurarse que nadie pudiera oír y confesó en voz baja:

—Soy virgen. Pero es medio raro serlo en esta época.

No sabía si llorar o gritar. Le dije:

—No eres raro: eres sabio. Y no eres el único. No te des por vencido; valdrá la pena.

¿No es sorprendente cómo se alienta y se apoya a las personas que manifiestan públicamente las perversiones sexuales que han estado cometiendo? Por otra parte, cuando personas vírgenes revelan su postura, son tratadas como extrañas y anormales.

Si pudiera decirte cómo evitar las enfermedades de transmisión sexual, cómo dar a tu matrimonio una probabilidad de supervivencia de un 50 por ciento mejor que la norma y cómo vivir una vida sana, satisfecha, libre de culpa, ¿te interesaría? Casi todos dirían que sí. Se sentirían asombrados y tal vez consternados por la respuesta. Comienza por la pureza sexual: la virginidad.

Ser virgen no es raro; es profundamente sabio.

Los que todavía la tienen también tienen una excelente oportunidad de evitar la carga dolorosa que acompaña a la fórmula de Hollywood. Ser virgen no es raro; es profundamente sabio.

Despiértate para la revolución

El haber servido en una iglesia local durante muchos años, me ha dado la oportunidad de participar en numerosos casamientos y así mismo he tenido largas conversaciones con muchas parejas en la etapa de prepararse para el matrimonio. Esta experiencia me ha mostrado que hay una diferencia de años luz entre los que llevan a cabo su noviazgo y su matrimonio a la manera del mundo y los que lo hacen a la manera de Dios. Puedo decirte que cuando una pareja se reúne con el pastor, por lo general ya han decido el rumbo que van a tomar. El consejo prematrimonial vale la pena, pero con frecuencia mucho de su valor queda anulado por las decisiones que la pareja ya ha tomado antes de comenzar con el consejo.

Es un hecho histórico interesante que el movimiento de la consejería prematrimonial tuvo su verdadero impulso al final de la década de los años 60 como reacción a la "revolución sexual". El consejo prematrimonial no puede deshacer en seis u ocho sesiones lo que la pareja ha ingerido de su cultura durante 20 años. Lo que necesitamos es un movimiento contracultural entre los cristianos para permitir que la luz de Dios brille. Necesitamos una revolución espiritual conducida por creyentes que decidimos vamos a poner nuestros propios matrimonios y familias bajo la luz y vamos a comenzar a deshacernos de las tinieblas, sí, como dice la Biblia, el juicio comienza en la casa de Dios (ver 1 Pedro 4:17), permitamos que los efectos purificadores de la receta de Dios haga un cambio revolucionario en nuestra vida de creyentes. El mundo verá la diferencia. A lo mejor se rían al principio, pero muchos de los sonámbulos se despertarán, atraídos por la luz al ver amor auténtico, profundidad y pasión en nuestra vida.

En el último capítulo, te invito a contestar el llamado de

Dios a una **segunda revolución sexual**. Hay una manera revolucionaria de construir relaciones con el sexo opuesto: una manera que produce intimidad en lugar de culpa, una manera edificada en el amor en lugar de la lascivia, una manera que produce satisfacción plena en las relaciones sexuales y compromiso a largo plazo.

 Evaluación personal

1. Dave y Lanny dejaron una impresión duradera en mi vida y fueron un ejemplo brillante de lo que debe ser el matrimonio. ¿Cuáles son tus mejores ejemplos de relaciones y matrimonios sanos? ¿Por qué?

2. Después de leer este capítulo, ¿cómo explicarías por qué el sexo es un asunto tan importante para Dios?

3. ¿Cómo has experimentado la verdad de la declaración: "No se denuncia la inmoralidad hablando; sino que la inmoralidad se denuncia con la luz"?

4. ¿Por qué hay una aversión cultural tan grande a la virginidad en nuestra época?

5. En una escala del uno al diez, ¿cómo calificarías tu propia pureza sexual en mente, palabra y hecho? Escribe una o dos oraciones para explicar tu respuesta.

10

Dios convoca a la "segunda revolución sexual"

L a receta de Dios para el *amor*, el *sexo* y las *relaciones duraderas* resulta ser una medicina potente. Al igual que los fármacos actuales para combatir el cáncer, es posible que parezca que la receta de Dios mata mientras cura. Crea confrontaciones inmediatas y dolorosas entre tu vida y el statu quo. La medicina eficaz es así. Pero el mundo nos ha convencido que la receta de Dios tiene mal gusto y que no hace nada. Nos hemos acostumbrado a tomar el brebaje dulzón ofrecido por el mundo, negándonos a reconocer sus nefastos efectos secundarios.

La fórmula de Hollywood resulta ser tóxica. Espero que a estas alturas te des cuenta de que los mandamientos de Dios acerca de la pureza sexual no sólo son para nuestro bien, sino que desafían el cáncer de la ignorancia, la inmoralidad y la infidelidad que ha infectado nuestra cultura.

Un llamado a la revolución

El mundo necesita nada menos que una revolución. Nuestras vidas, hogares e iglesias deben convertirse en células de personas que andan en amor y en luz. No hace falta despotricar y anunciar a grandes voces acerca de lo que se hace; hace falta tomar dosis constantes de la receta de Dios. Los gritos no convencerán al mundo; la luz convencerá al mundo. No hace falta subir el volumen; ¡hay que encender la luz!

¿Cómo lo logramos? ¿Cómo podemos marcar una verdadera diferencia contra un adversario que parece haber ganado el corazón y la mente de toda la gente que nos rodea? ¿Cómo armamos una revolución para capturar el alma de nuestra cultura? **Contestemos el llamado de Dios a una segunda revolución sexual.** Mi intención es literal; no es un lema para motivar ni una exageración. Te invito a unirte a mí y a miles de cristianos de todo el mundo que creen que nuestra cultura está lista para una segunda revolución sexual.

Recuerda un momento (si tienes edad suficiente) la década de los años 60 y la forma en que se inició la primera revolución sexual. Un pequeño grupo de personas en contra de la cultura de esos días cuestionaron el statu quo. Desafiaron abiertamente el pensamiento de ese tiempo acerca de la fidelidad sexual y predicaron el "amor libre" y la paz como estilo de vida alternativo. Modelaron su mensaje con su vida y la proclamaron en su música y en su arte. Llevaron con orgullo el rótulo de radicales y se enfrentaron a toda forma de autoridad, resumida como el grupo dominante. Mezclaron las incertidumbres y curiosidad naturales de los jóvenes con una fuerte dosis de rebeldía y crearon así una filosofía de vida. Los resultados han sido escandalosos. En una corta generación (40 años), han cambiado la moral, los valores y las prácticas de toda una cultura.

¿Qué esperanza hay? Lo que cambió de rumbo puede revertirse. Los pasos que tomamos para adentrarnos en la oscuridad pueden retroceder hacia la luz si personas como tú y yo estamos dispuestos a ser tan radicales por la verdad como lo fueron esas personas en los años 60 por una mentira. Esos jóvenes rebeldes se rindieron sinceramente ante una ilusión que los impulsó a transformar una cultura. A lo mejor tú hayas estado entre ellos y ahora te das cuenta que no era malo tener un compromiso absoluto; los problemas surgieron al estar comprometidos absolutamente con los ideales equivocados. Imagínate lo emocionante que sería vivir con ese mismo tipo de entusiasmo, pero por la verdad. ¿Qué pasaría si la primera década del nuevo milenio se recordara como la época cuando la frase: "Anden en amor y anden en luz" cambió la cultura tanto como: "Hagan el amor, no la guerra"? ¿Cómo reaccionaría el mundo ante cristianos que realmente viven lo que predican? ¿No quisieras ser parte de los que marcan la diferencia para bien? ¡Podemos hacerlo!

Cómo lanzar una revolución

La rebelión contra el sistema de este mundo tiene que comenzar por nuestra manera de pensar. Una parte importante del problema yace en nuestra aceptación de una dicotomía entre los caminos de Dios y los caminos del mundo. Como creyentes, se nos ha engañado y "lavado el cerebro" para creer que podemos pensar en todo menos en el sexo desde el punto de vista de Dios. Pensamos que a Dios no le interesa el sexo o que no se siente cómodo con él. Estas suposiciones representan el pensamiento de las tinieblas. El sexo le pareció una gran idea a Dios: ¡por eso lo creó! El mundo tiene todo tipo de problemas con el sexo porque tiene problemas con Dios.

> La rebelión contra el sistema de este mundo tiene que comenzar por nuestra manera de pensar.

Pero nuestra mente es sólo uno de los campos de batalla de esta revolución. De hecho, la segunda revolución sexual de la cual estamos hablando debe avanzar simultáneamente en tres frentes. Debemos desarrollar:

1. Una nueva manera de pensar acerca de la sexualidad.
2. Una nueva manera de atraer al sexo opuesto.
3. Una nueva manera de relacionarnos con el sexo opuesto.

Si podemos lograr estas tres misiones, como resultado mínimo nuestra vida personal se transformará radicalmente. Como resultado máximo, habremos participado en la transformación de una cultura. En las próximas páginas exploraremos lo que exigirá de nosotros cada uno de estos frentes.

Una segunda revolución sexual exige una nueva manera de pensar acerca de la sexualidad.

Cuando pensamos en el sexo de una manera revolucionaria y piadosa, nuestra mente se llena de tres pensamientos radicales que son la base de la revolución. Tú y yo no derribaremos un sistema atrincherado sin una alternativa enfocada, persistente y no negociable que desafíe prácticamente todo lo que vemos y oímos en nuestra cultura. La revolución comienza con estas tres declaraciones radicales: (1) las relaciones sexuales son sagradas; (2) las relaciones sexuales son un asunto serio y (3) las relaciones sexuales son una gran responsabilidad.

Declaración radical 1: las relaciones sexuales son sagradas

Mientras tú y yo no reconozcamos que las relaciones sexuales son sagradas para Dios, no nos habremos unido a la revolución. ¿Quieres estar del lado de Dios? Entonces las relaciones sexuales son sagradas. ¿Quieres plantar una línea de batalla en nuestra cultura? Intenta decir que "las relaciones sexuales son sagradas" en una conversación. Usa la frase a propósito cuando alguien te pregunte por qué no ves ciertas películas u otros "entretenimientos". Serás desafiado. Te habrás rebelado contra lo establecido. Decir que las relaciones sexuales son sagradas es como quemar la bandera de la fórmula de Hollywood. Debes estar preparado para las reacciones. Debes estar listo para explicar exactamente lo que significa decir que las relaciones sexuales son sagradas. A lo mejor te sientas un poco solo, pero no olvides que cada vez que dices: "las relaciones sexuales son sagradas", Dios responde: "estoy de acuerdo".

Que las relaciones sexuales sean sagradas significa que es algo santo. Están apartadas como un don significativo y potente que nos recuerda a Dios constantemente. Las relaciones sexuales son un otorgamiento especial e íntimo de Dios. Hebreos 13:4 dice: *"Honroso es para todos el matrimonio, y pura la relación conyugal; porque Dios juzgará a los fornicarios y a los adúlteros".* La verdad acerca de la sexualidad no puede expresarse más claramente que con esta hermosa imagen y grave advertencia. Las relaciones sexuales, la relación conyugal, deben honrarse y mantenerse puras. La relación llamada matrimonio debe apartarse y mantenerse sin mancha. Las relaciones sexuales son sagradas porque ofrecen una oportunidad única para agradecer a Dios con otra persona.

Imagina pensar sobre las relaciones sexuales de esta manera. Esta mentalidad significa que las relaciones sexuales jamás se tratan como algo ordinario o fortuito. Se tratan con un respeto especial. En cierto modo se parece a la vajilla de porcelana y cristal que guardamos para ocasiones especiales. Valoramos esos objetos porque son santos en el sentido que están apartados para un uso especial. Lo sagrado de una posesión valiosa empalidece ante lo sagrado de las relaciones sexuales. Ésa es la forma en la cual Dios quiere que pensemos acerca de las relaciones sexuales. En su aspecto más íntimo, las relaciones sexuales tienen que ver con *conocerse*, no con acostarse o dormir juntos. Cuando Adán y Eva comenzaron a explorar su sexualidad, la Biblia describe su relación sexual diciendo que: "Adán conoció a Eva". El momento era sagrado, santo. Cada uno de ellos, dentro del diseño de Dios, estaba abriendo el lugar santísimo de su vida, uniéndose espiritual, física y emocionalmente.

Mucho más adelante en la Biblia, cuando el rey David pecó cometiendo adulterio con Betsabé, se usó una palabra distinta para el mismo acto: "David... se acostó con ella" (2 Samuel 11:1-5). Aunque David sabía que Bestsabé era esposa de otro hombre, la deseó como objeto sexual y la tomó como se toma un juguete. Las consecuencias fueron terribles: se plantó una semilla de inmoralidad en su familia que produjo una cosecha de vidas destruidas.

Las relaciones sexuales no se limitan a partes corporales que se unen o al placer momentáneo: tiene que ver con el corazón y la esencia de la persona. Tiene que ver con el misterio. Tiene que ver con lo sagrado. El propósito de las relaciones sexuales no es la venta. El propósito de las relaciones sexuales no es ser material de chistes baratos. Las relaciones sexuales no es algo que deba considerarse a la ligera, como entretenimiento. Es algo sagrado, santo.

Cuando comiences a tratar a las relaciones sexuales como santo y a decir que las relaciones sexuales son sagradas, comenzarás a vivir una vida radical. Esa declaración radical hará eco en toda la vida como el disparo que se oyó en todo el mundo y lanzó una revolución distinta hace muchos años. Habrás abierto el primer frente de la segunda revolución sexual en tu vida. ¿Estás listo para este tipo de compromiso?

Declaración radical 2: las relaciones sexuales son serias

¿Quieres andar en la luz y ser contado entre los rebeldes de la segunda revolución sexual? **Tendrás que hacer la declaración radical, en contra de lo establecido, de que las relaciones sexuales son algo serio.** ¿Quieres alinearte con Dios? Entonces las relaciones sexuales son algo serio. ¿Quieres que los que te rodean te traten seriamente? A lo mejor no lo hagan si declaras que las relaciones sexuales son algo serio. Por otra parte, ¿a quién intentas complacer? Créeme que al encontrarte con otros rebeldes, descubrirás grandes compañeros de la revolución.

La Biblia arroja una luz brillante sobre la seriedad de la sexualidad en lugares como 1 Corintios 6:15-20:

> ¿No sabéis que vuestros cuerpos son miembros de Cristo? ¿Quitaré, pues, los miembros de Cristo para hacerlos miembros de una prostituta? ¡De ninguna manera! ¿O no sabéis que el que se une con una prostituta es hecho con ella un solo cuerpo? Porque dice: *Los dos serán una sola carne.* Pero el que se une con el Señor, un solo espíritu es.
>
> Huid de la inmoralidad sexual. Cualquier otro pecado que el hombre cometa está fuera del cuerpo, pero el fornicario peca contra su propio cuerpo. ¿O no sabéis que vuestro cuerpo es templo del Espíritu Santo, que mora en vosotros, el cual tenéis de Dios, y que no sois vuestros? Pues habéis sido comprados por precios. Por tanto, glorificad a Dios en vuestro cuerpo.

Estos versículos no nos dan lugar a tratar las relaciones sexuales livianamente. Cuando dos personas tiene relaciones sexuales, sean casadas o no, aunque no se trate más que de una aventura, por placer o con una prostituta, las Escrituras dicen que se convierten literalmente en una sola carne. Las relaciones sexuales son así de poderosas y serias. ¿Ves el contraste en estos versículos? Podemos unirnos a Dios siguiendo su receta para las relaciones o podemos unirnos con una prostituta o participar en alguna otra distorsión barata de la sexualidad. Como ya hemos descubierto, la sexualidad y la espiritualidad siempre giran alrededor del tema de la adoración. Cuando las personas se conocen en un encuentro sexual, se produce un vínculo de la carne, reconocido o no por los participantes. Las relaciones sexuales son así de serio. No se trata de juntarse. No se trata de un placer fortuito. No es asunto de un poco de satisfacción. El acto sexual es una acción que une vidas. No es un juego; es una decisión que cambia la vida. Es así de serio.

El Dios del universo creó a los seres humanos de modo tal que la unión de un hombre y una mujer dentro del matrimonio produce un placer santo a Dios. ¡Este tipo de relación santa refleja su deseo de dar vida! Por eso es el medio por el cual se crea vida nueva. El placer y el potencial de procrear inherentes a las relaciones sexuales entre las personas creadas a la imagen de Dios hacen que valga la pena honrarlo y protegerlo. Las relaciones sexuales no deben tratarse livianamente porque son una expresión de nuestro compromiso humano más profundo. Debería haber misterio, santidad y reverencia.

No te sorprendas si el conflicto se intensifica cuando comiences a defender esta postura de que las relaciones sexuales son algo serio. Parte del mundo tolerará tus declaraciones "religiosas" acerca de lo sagrado de las relaciones sexuales. Pero puedes esperar una tormenta de reacción cuando digas que las relaciones sexuales son algo serio. ¿Estás listo para ese tipo de pensamiento revolucionario? Los resultados radicales exigen pensamiento y acciones radicales.

Declaración radical 3: las relaciones sexuales son una gran responsabilidad

Tú yo no seremos parte de la segunda revolución sexual hasta que podamos pensar radicalmente más allá de nosotros mismos. En un mundo que prácticamente ha olvidado el sentido de la palabra *responsabilidad*, Dios insiste en que las relaciones sexuales son una gran responsabilidad. Otros tal vez decidan que decir que las relaciones sexuales son algo sagrado y serio sea "tus creencias privadas y personales", pero decir que las relaciones sexuales son una gran responsabilidad les sonará a intromisión. Se te acusará de tratar de hacer que los demás se sientan culpables. Recuerda que el pensamiento radical afectará la manera en la cual vemos y tratamos a los demás. Si tú y yo queremos ponernos del lado de Dios, declararemos que las relaciones son una gran responsabilidad. 1 Tesalonicenses 4:3-7 dice:

> Porque ésta es la voluntad de Dios, vuestra santificación: que os apartéis de inmoralidad sexual; que cada uno de vosotros sepa controlar su propio cuerpo en santificación y honor, no con bajas pasiones, como los gentiles que no conocen a Dios; y que en este asunto nadie atropelle ni engañe a su hermano, porque el Señor es el que toma venganza en todas estas cosas, como ya os hemos dicho y advertido. Porque Dios no nos ha llamado a la impureza, sino a la santificación.

Donde los versículos dicen: "nadie atropelle ni engañe a su hermano", algunas traducciones utilizan la palabra "defraudar", que capta la idea de despertar deseos sexuales en otra persona que no pueden satisfacerse legítimamente fuera del matrimonio. Somos responsables de la manera que nos presentamos a los demás. Si conocemos la debilidad de alguien y nos aprovechamos de ella, lo estamos defraudando. Si una mujer se viste de manera seductiva o un hombre manipula fingiendo seriedad, cada uno de ellos es culpable de aprovecharse de la vulnerabilidad de otra persona. La Biblia tiene una claridad cristalina: las relaciones sexuales fuera del recinto protegido de un hombre y una mujer en el matrimonio son de segunda categoría, barato y destructor.

¿Por qué, entonces, especialmente entre los cristianos, parece haber una actitud tan relajada y una ignorancia tan deliberada en cuanto a la receta de Dios para el *amor*, el *sexo* y las *relaciones duraderas*? Es evidente que ha habido una descompensación. La iglesia que declara seguir a Jesús con frecuencia no actúa como si creyera que las relaciones sexuales son algo sagrado, algo serio o una gran responsabilidad. Jesús hizo varias declaraciones que hemos olvidado o a las cuales no damos importancia. Por ejemplo, el Señor estaba hablando con líderes religiosos cuando hizo la siguiente advertencia: "*Y a cualquiera que haga tropezar a uno de estos pequeños que creen en mí, mejor le fuera que se le atase al cuello una gran piedra de molino y que se le hundiese en lo profundo del mar*" (Mateo 18:6). Estaba hablando de "niños" espirituales, nuevos creyentes cuyos corazones están abiertos, personas que desean seguirle, personas que han visto la luz. Estaba advirtiendo a los que ya conocían para que tengan cuidado de no hacer tropezar a estos nuevos creyentes.

Jesús siguió hablando de los peligros de la tentación, con una advertencia aún más directa: "¡Ay del mundo por los tropiezos! Es inevitable que haya tropiezos, pero ¡ay del hombre que los ocasione!" (Mateo 18:7). Jesús no dudó en responsabilizar a las personas por su efecto en la vida de otros. ¿Te das cuenta cuántas veces como creyentes en Jesucristo participamos en los tropiezos de otros creyentes con nuestras actitudes en cuanto a las cosas de las cuales nos reímos, vemos, pagamos y vestimos? Lo hacemos tanto que ni siquiera se considera un problema. Esto no es hacer alarde de la libertad en Cristo, como los corintios cuando comían carne ofrecida a los ídolos (1 Corintios 8). No, esto es una confusión ignorante que no ve ninguna contradicción entre un mensaje de fe en Cristo transmitido por los labios y un mensaje de valores mundanos e inmoralidad transmitido por nuestra conducta y apariencia. Tanto las palabras como las acciones tienen significado, pero cuando se contradicen, lo que hacemos tiene mayor peso.

Un enfoque radical de la responsabilidad sexual formula preguntas muy distintas en cuanto a lo que nos ponemos, lo que parecemos y cómo actuamos. Me temo que con demasiada frecuencia los cristianos hemos usado la excusa de la libertad en Cristo para vestirnos y conducirnos igual que el mundo. Es como proclamar nuestra libertad mientras vivimos en esclavitud. Una gran responsabilidad significa que somos responsables *ante* alguien. Significa que debemos responder a alguien por nuestras vidas. El cristiano radical pasa de largo los asuntos de estilo e interminables listas legalistas acerca de lo que los creyentes no pueden usar o el largo del cabello para llegar al corazón del asunto: ¿Estoy agradando a Dios? ¿Agradan a Dios las cosas que hago, lo que me pongo y lo que digo? ¿Hay alguna esfera de

> Me temo que con demasiada frecuencia los cristianos hemos usado la excusa de la libertad en Cristo para vestirnos y conducirnos igual que el mundo.

mi vida que no honra a Dios? ¿Estoy preparado para rendir cuentas ante mi Padre celestial por la manera en que he usado el cuerpo que él me dio?

No esperamos que las personas que no son creyentes contesten estas preguntas. No nos sorprende que rechacen nuestras ideas radicales de que las relaciones sexuales son sagradas, es algo serio y una gran responsabilidad. Pero entre cristianos, el hecho de no ser responsables el uno ante el otro y ante Dios por la manera en la cual vivimos socava el mensaje revolucionario que se nos ha dado para compartir con el mundo. Lo he notado particularmente en aquellos que tienen influencia con nuestros jóvenes. Los creyentes que se convierten en cantantes o actores aclamados tienen la clara responsabilidad de considerar el mensaje de lo que dicen, cantan o hacen.

Cada vez hay un mayor número de señales de capitulación cuando se trata de las normas de sexualidad de Dios. Si visitas una librería cristiana y echas un vistazo a las portadas de los discos de los artistas cristianos, notarás una tendencia a insinuaciones sexuales en las fotografías. Se han escogido ropa y poses que proyectan un sutil atractivo seductor para "atraer el mercado". Como creyentes radicales no vamos a tirar piedras a estas personas ni llamarles de manera grosera. Sencillamente vamos a decir: *ésta no es la forma en la cual vamos a vivir. Yo y mi casa serviremos a Jehovah.*

Las relaciones sexuales siguen siendo algo serio a los ojos de Dios, aun cuando su pueblo lo trate como si fuera algo insignificante. El sexo no fue diseñado para vender discos ni ningún otro producto. Si vamos a tener una revolución sexual entre el pueblo de Dios, ésta tendrá que comenzar con nuestra mente. No estaremos satisfechos hasta que nos exijamos a nosotros mismos una manera de pensar revolucionaria. No estoy planteando el regreso a actitudes puritanas ni a costumbres victorianas como cuellos altos y cinturones de castidad. Estoy diciendo que nosotros, la iglesia, hemos caído de cabeza en el pantano de nuestra cultura porque no pensamos correctamente acerca de las relaciones sexuales. Pero no bastará una renovación de nuestro modo de pensar. Tendremos que boicotear la fórmula de Hollywood para atraer a otros e incorporar una manera revolucionaria de desarrollar relaciones con el sexo opuesto.

Una segunda revolución sexual exige una nueva manera de atraer al sexo opuesto.

Uno de nuestros primeros descubrimientos al principio de este libro fue que la fórmula de Hollywood se basa casi exclusivamente en la atracción física y emocional. Esta creencia cultural arraigada de que el amor surge de la apariencia debe desafiarse radicalmente. El segundo frente de la nueva revolución sexual desafiará directamente la manera en la cual iniciamos las relaciones.

El sistema basado en la atracción física y emocional se encuentra en todas partes. Se usa ropa muy ajustada, se lucha para entrar en el pantalón y se consigue mucha atención de asuntos relacionados al sexo opuesto. En medio del desierto de silencio e incomodidad acerca del sexo en la iglesia, los jóvenes cristianos quedan libres para seguir las pautas de la cultura. La investigación reciente muestra los resultados que mencionamos al principio del libro. Algunos de los efectos de la adoración de la apariencia se están volviendo demasiado evidentes para poder pasarlos por alto. Por primera vez estamos viendo cómo aumentan los trastornos alimentarios entre los adolescentes varones. Los jóvenes están levantando pesas como locos, tomando esteroides y bebidas de alto contenido proteico porque están convencidos de que tienen que tener una apariencia determinada. Están convencidos de que el atractivo sexual es la mejor manera de atraer al sexo opuesto. Por primera vez en mi vida, mujeres nos consultan acerca de su adicción a la pornografía.

Si el mundo dice que la manera de atraer al sexo opuesto es la atracción sexual, básicamente se trata de ropa seductora y una concentración en el cuerpo, los pechos y los bíceps es lo que hace hervir la sangre. La manipulación, los jueguitos y el romance falso son parte del señuelo del mundo. Trágicamente, en la iglesia nos lo hemos tragado entero. De repente, se relatan en las iglesias las mismas historias trágicas que oímos en el mundo. Nos confundimos cuando nuestros hijos entran en relaciones destructoras; nos confunde por qué se están divorciando tantos cristianos. Vivimos según la fórmula del mundo y después nos preguntamos por qué obtenemos los mismos resultados que el mundo.

Asombrosamente, Dios ofrece tres alternativas apremiantes a la mera atracción física como la base sobre la cual establecer relaciones con otras personas. El poner en práctica estas alternativas abrirá el segundo frente a la segunda revolución sexual. A lo mejor las maneras que Dios propone para atraer el sexo opuesto suenen muy anticuadas, pero son efectivas. De hecho, son radicales. Primera Pedro 3:3, 4 dice: *"Vuestro adorno no sea el exterior, con arreglos ostentosos del cabello y adornos de oro, ni en vestir ropa lujosa; sino que sea la persona interior del corazón, en lo incorruptible de un espíritu tierno y tranquilo. Esto es de gran valor delante de Dios".*

Manera radical de atraer # 1: desarrollar el carácter interior

Verás la naturaleza radical del enfoque de Dios porque ofrece el carácter interior como alternativa a la mera belleza exterior. Por supuesto, que esto nos lleva al primer paso de la receta de Dios: el tema no es encontrar a la persona correcta; es ser la persona correcta. Se trata de ser una persona piadosa, no un mojigato, no un santurrón esteriotipado, sino un dinámico seguidor de Cristo. La forma de pensar radical de la cual hablamos en la última sección cambiará, sin lugar a dudas, el carácter interior, y eso será más atractivo a la larga que cualquier cosa que se pueda hacer al exterior del cuerpo.

Manera radical de atraer # 2: desarrollar el pudor exterior

Creo que el Señor debe tener un gran sentido del humor, porque por ejemplo está sacudiendo los valores de los Estados Unidos de América y otros países, de maneras inesperadas. Está usando a una religiosa, doctora de fisiología y convertida en consejera, llamada la doctora Laura (Laura Schlessinger, existen libros de su autoría en español). Tiene el valor de tomar un paso hacia adelante y declarar por la radio que *¡Esto está bien y eso está mal!* No estoy de acuerdo con todo lo que dice, pero en un mundo de verdad relativa tenemos una consejera judía que ofrece respuestas morales a millones de personas que no saben qué hacer. Ha sufrido las reacciones violentas normalmente reservadas para los cristianos bíblicos que se atreven a hablar.

Otro ejemplo del sentido de humor de Dios se encuentra escondido detrás de la sorprendente popularidad de un libro escrito por una estudiante judía de filosofía y letras de veintitantos años llamada Wendy Shalit. Lo llamó *Return to Modesty* (El regreso al pudor). En ese libro cataloga las consecuencias sufridas por una generación de adultos jóvenes que han intercambiado relaciones sexuales con la misma facilidad que sus padres se daban la mano. Shalit explica que las relaciones sexuales entre universitarios suele ser tan impersonal como dos aviones que cargan combustible. De hecho, se habla de "conectarse". Hace un llamado brillante, juvenil y exuberante a la necesidad de recordar. Desafía a nuestra cultura a hacer duelo por algo hermoso que se está perdiendo entre los sexos: el pudor.

Ya hemos señalado que los cambios radicales en la estructura de la experiencia que han convertido la virginidad, la privacidad y la reserva en algo extraño o vergonzoso apuntan no hacia el adelanto o la libertad, sino a la fealdad. Nuestra pérdida de una decencia pública básica es algo que hace llorar a Dios. Algo que ha compartido cada generación hasta ahora está tan ausente que los que se están criando en el vacío sienten la pérdida. Los hilos morales de nuestra cultura están tan raídos que Shalit describe nuestro estado como "una tragedia estadounidense invisible"[1]. La generación de Shalit encuentra su voz en sus elocuentes confesiones. Ella comparte honestamente acerca de la envidia oculta que las mujeres de su generación frecuentemente sienten por las mujeres mayores que tienen matrimonios duraderos. Reconoce el anhelo de muchos de los de su generación por relaciones duraderas y compromisos respetados. Espera que muchas personas de su edad insistan en la estabilidad y el amor genuino en lugar de aceptar la sexualidad barata y deshonesta, y con esto la degradación personal que ha sido impuesta, de muchas maneras, en los hijos de nuestra cultura.

Wendy tiene la audacia de llamar a las mujeres jóvenes de este milenio a regresar al pudor en su manera de vestir y en su conducta, y al misterio de la sexualidad, donde algunas cosas mantienen su calidad de especiales, privadas y significativas. Se lamenta de una cultura en la cual la gente es tan groseramente abierta que no queda nada para adivinar ni para despertar la curiosidad: nada que enfocar fuera de lo externo.

El libro de Wendy Sahlit me resulta refrescante y asombroso, especialmente en una persona tan joven. Sin embargo, me entristece que su excelente trabajo y conceptos bíblicos parezcan ser practicados muy poco en la subcultura cristiana, que intelectualmente sostiene la virtud del pudor. Con frecuencia me pregunto qué están pensando nuestros padres cristianos cuando permiten que sus hijas salgan vestidas de maneras que ellos saben provocarán a los jóvenes. Sé que hay jóvenes cristianos que van en contra de la corriente, pero me atrevo a decir que, en general, la iglesia no los está apoyando.

El pudor externo tiene mucho que ver con andar en amor y andar en la luz. Todas las luminosas cualidades del carácter que describimos al hablar de esas dos frases crean un pudor encantador y atractivo. Cuando conocemos a alguien que mantiene algo en reserva para la persona con quien se va a casar, intuimos que hemos conocido a alguien de verdadera integridad y solidez personal.

Manera radical de atraer # 3: desarrollar una devoción vertical

La tercera cualidad radical que la Biblia describe puede resumirse como una devoción vertical. Cómo nos alienta conocer a alguien que ya pone en práctica lo que describimos como la tercera parte de la fórmula de Dios para el *amor*, el *sexo* y las *relaciones duraderas*, fijando su esperanza en Dios e intentando complacerle con su vida. ¡Tal persona está viviendo una vida revolucionaria!

Entiendo que a lo mejor te encuentres entre aquellos que puedan decir que jamás han visto eso. Puedo asegurarte que cuando ves una genuina devoción vertical en la vida de otra persona, los resultados son muy atractivos. De hecho, aunque sé que mi esposa es exteriormente hermosa (especialmente a mis ojos), no fue eso lo que más me atrajo de ella. La devoción vertical de Theresa era una característica que me atrapó más poderosamente que cualquier atracción externa.

Todavía recuerdo la primera vez que quise salir con ella y me dijo que no podía porque tenía un compromiso previo. En mi arrogancia juvenil me preguntaba cómo podía tener un compromiso más importante que la oportunidad de pasar tiempo conmigo. Como curioso que era, pasé por su casa esa noche en mi auto, intrigado por la posible competencia. El auto estaba en la entrada y las luces de la sala estaban prendidas: era obvio que estaba en casa. Reaccioné con enojo, seguido rápidamente por el dolor del rechazo. Había pensado que era una mujer maravillosa que estaba interesada en mí. ¿Cómo podía optar por pasar la tarde sola en casa en lugar de estar conmigo?

Dos días después mis suposiciones fueron corregidas por una de sus amigas. Me contó que Theresa le había dicho cuánto le había costado decirme que no, pero ya había apartado esa noche para estar a solas con el Señor. El rechazo que había sentido se convirtió instantáneamente en atracción. ¿Cómo no querer estar con alguien que estaba comprometida con el Señor de la misma manera que yo deseaba estarlo? Como consecuencia de un período muy difícil de su vida, Theresa había desarrollado la costumbre de pasar varias horas un par de veces por semana en oración y comunión personal con Dios: leyendo la Biblia, cantando y disfrutando de su presencia como su tierno Padre celestial. Cuando me di cuenta que no salió conmigo porque Dios era más importante en su vida, algo que no puedo explicar hizo un clic en mí. De algún modo, ser segundo después de Dios era tanto un alivio como una poderosa atracción. A pesar de lo mucho que queremos que la gente nos quiera, entra en juego un efecto más poderoso y atractivo en la relación cuando la otra persona pone a Dios como lo primero. A esta altura de mi vida había salido con varias muchachas bonitas y estaba buscando "la correcta". La devoción vertical de Theresa hizo que mis cambios emocionales entraran a trabajar, y que me empecinara en desarrollar una relación con una mujer que verdaderamente modelaba a Cristo como la primera prioridad de su vida.

Si deseas construir una relación duradera, hace falta más que un buen peinado, un cuerpo musculoso y un estupendo bronceado. Esas cosas desaparecen rápidamente y son bastante superficiales. Pero cuando te encuentras con alguien con devoción vertical, te das cuenta que tiene solidez, carácter y una belleza que no perece con el tiempo.

Un pagaré para la segunda revolución sexual

Cuando pienses en atraer al sexo opuesto como parte de la segunda revolución sexual, recuerda que llevas un pagaré que incluye: Carácter interno, pudor externo y devoción vertical.

El pagaré representa una deuda. La deuda que debemos pagar a la luz de todo lo que Dios ha hecho por nosotros es llevar a cabo las relaciones a su manera. Lo hacemos no sólo para promover nuestro propio bien sino como su programa para andar en la luz.

Este pagaré entraña tácticas radicales que honran a Dios. A lo mejor tendrás que deshacerte de parte de tu ropa, evaluar tu aspecto externo y analizar algunas de tus costumbres. Recuerda esto: lo externo debería ser un reflejo claro de lo interno, un deseo profundo de complacer a Dios. No creo que esto sea cuestión tanto de estilo como de corazón. Sin importar el gusto tuyo o el de tu generación en lo que a ropa se refiere, la pregunta básica de los que participan en la segunda revolución sexual debe ser: *¿Qué estoy tratando de comunicar con mi manera de vestir?* En última instancia, tienes que poder explicar la manera en la cual tus acciones y tu aspecto externo expresan tu devoción vertical a Dios.

Cuando nos miramos en el espejo, debemos pensar en Colosenses 3:17: "Y todo lo que hagáis, sea de palabra o de hecho, hacedlo todo en el nombre del Señor Jesús, dando gracias a Dios Padre por medio de él". Cada parte de nuestra vida puede expresar nuestra deuda de gratitud a Dios mientras tratamos de desarrollar un carácter interno, un pudor externo y una devoción vertical que representan que pertenecemos a aquel que dio su vida por nosotros. No debemos a nuestra cultura, a nuestra generación ni aun a nosotros mismos nada parecido a la deuda de gratitud y amor

> No debemos a nuestra cultura, a nuestra generación ni aun a nosotros mismos nada parecido a la deuda de gratitud y amor que debemos al Señor Jesucristo.

que le debemos al Señor Jesucristo. A lo mejor necesites ayuda para entender de qué manera se traduce específicamente en tu vida. **Imagina lo que sucedería si te sentaras con tres o cuatro amigos íntimos cuyo andar con Dios respetas profundamente y hablaras con ellos de la ropa que usan y por qué lo hacen.** ¿Qué pasaría si hablaran de cuándo un escote es demasiado bajo, de lo corto o lo apretado que llevan la ropa y por qué lo hacen? ¿Qué pasaría si algunos muchachos cuestionaran las motivaciones que tienen para levantar pesas y para usar esas camisetas que muestran sus desarrollados músculos, y se hicieran mutuamente responsables de llevar una vida sana? No se trata de lo que piensen los demás, ni de ser conservador, ni de agradar a adultos importantes. Se trata de atreverse a vivir de una manera radical porque deseamos agradar a Dios y llevar a cabo las relaciones a su manera.

Este pagaré significa que si eres una persona soltera con un estilo de vida bastante descontrolado, te preguntarás: *¿Qué mensajes estoy enviando?* Un boletín inquietante: cuando te vistes o actúas de manera seductora, atraes a personas exactamente iguales a la imagen que proyectas. Las señales que envías dispararán ciertas respuestas. No te sorprendas si no cumplen sus compromisos. No te sorprendas si la próxima manzanita seductora que quieren tomar del árbol seas precisamente tú. **Éste es un principio fundamental de las relaciones: atraerás al mismo tipo de persona cuya imagen proyectas.**

La estrategia del mundo es hacer publicidad externa y extravagante. Cuando una mujer se pone un suéter y murmura: *¿Me pregunto cómo se verá a través de los ojos de un hombre?* o cuando un hombre se pone una camisa apretada después de hacer gimnasia y se pregunta: *¿Se darán cuenta las mujeres de lo que he estado haciendo?*; están demostrando la fórmula de Hollywood. ¿Comunican otros mensajes estas conductas? ¿Existen inseguridades acerca de nuestro valor que intentamos cubrir con publicidad externa? ¿Estoy intentando proyectar una imagen falsa que atraerá a otros en base a señales externas, o estoy comprometido con una integridad interna que no depende de factores externos deshonestos?

¿Estamos diciendo que no es bueno ser atractivo, hacer gimnasia y cuidar nuestro cuerpo? ¡En absoluto! Creo que un buen estado físico es parte de la mayordomía de todo lo que Dios me ha dado. Hago gimnasia habitualmente y trato de verme lo mejor posible. No estoy en contra de que la gente se vea bien ni de la gente atractiva. Los problemas que creamos son resultado de depender de nuestro aspecto como herramienta primaria para atraer y hacer un impacto en otros.

Dios nos dio cuerpos maravillosos y hermosos. No fueron creados para manipular a otros. Cuando nuestro estilo de vida desarrolla el carácter interno, el pudor externo y la devoción

vertical, permitimos que nuestros cuerpos cumplan sus mejores propósitos. Nuestro pagaré sigue floreciendo y embellecién-
dose a medida que pasan los años, mucho después de que el
armazón externo haya sufridos los efectos del tiempo. Cuando
basamos las relaciones en lo que es pasajero y se desvanece, se
vuelven vulnerables al tiempo. En lugar de ello, Dios nos ofrece
una manera revolucionaria de pensar acerca de la atracción
entre las personas: la verdad.

**Una segunda revolución sexual exige que aprendamos
una nueva manera de relacionarnos con el sexo opuesto.**

La segunda revolución sexual entraña una nueva manera
de pensar, una nueva manera de atraer y una manera radicalmente nueva de relacionarnos. En el modo actual de relacionarse del mundo, los demás son objetos a ser capturados, "amor
verdadero" a ser encontrado o recursos a ser usados para la
recreación sexual. El mundo trata a los demás como objetivos
en lugar de personas creadas a la imagen de Dios. La fórmula
de Hollywood nos ha engañado haciéndonos creer que somos
el centro del universo, y que si los demás conocieran su función
verdadera, deberían existir sólo para satisfacer nuestras necesidades. No decimos esto de manera tan cruda ni lo pensamos
de manera tan específica, pero tratamos a los demás como si esto
fuera cierto. Sólo una revolución quebrará el ciclo del egoísmo.

De manera diametralmente opuesta, Dios nos muestra al
menos **tres formas revolucionarias de relacionarnos con el
sexo opuesto.**

1. Empezar como amigos

Mucho antes de que los padres hablemos a nuestros hijos

acerca del sexo, debemos hablar con frecuencia de la amistad. Debemos enseñar a nuestros hijos a relacionarse con el sexo opuesto como amigos. Juan 15:13 nos da una excelente definición para compartir con nuestros hijos y para seguir nosotros mismos: *"Nadie tiene mayor amor que éste, que uno ponga su vida por sus amigos"*. Ésa era la definición personal de Jesús de la amistad que él la cumplió al pie de la letra. Las relaciones con el sexo opuesto deben basarse primero en la amistad, no en el romance, no en las hormonas, no en la atracción.

Se me ocurre que lo que queda del antiguo concepto de las salidas en pareja ya no sirve. ¿Hay un momento correcto para comenzar a salir en pareja? Seguramente lo hay, pero cuando vemos a niños de 10, 12, 13 años que andan en parejitas jugando al romance, estamos permitiendo que se les roben las grandes amistades a nuestros jóvenes y los estamos inscribiendo en la desilusionante escuela de la vida y el amor según la fórmula de Hollywood. No estamos convencidos de que niños de esa edad necesiten estar capacitándose para el matrimonio. Pero yo sugiero que estamos condicionando a nuestros hijos al permitirles subirse al tiovivo: conectarse emocionalmente, sentir todas las emociones del romance falso y recreativo, romperse el corazón, entregar el corazón, hacerlo añicos otra vez, entregar el corazón, hacerlo añicos otra vez, anestesiarse, aprender a manipular a los hombres, aprender a manipular a las mujeres, vivir el ciclo de la separación, una y otra vez.

¿Sabes lo que logra esa repetición aturdidora? Sin querer, ayudamos a nuestros hijos a aprender que una vez que realmente se comprometan en el matrimonio, es probable que tampoco dure. Se les ha enseñado a fracasar. En lugar de eso, lo único que nos hace falta es una enseñanza para la amistad. **¿Qué pasaría si en lugar de concentrarnos en las salidas tempranas en pareja, habláramos con nuestros hijos y los alentáramos a**

formar amistades con personas del sexo opuesto como objetivo sano y maduro?

Me atrevo a suponer que aprendiste de las riquezas de la amistad por el camino difícil. Es lo que me sucedió a mí y a la mayor parte de las personas cuyas historias hemos considerado en estas páginas. Participé de la danza de las salidas en pareja y vi poco potencial para una relación con una mujer que no tuviera tonos románticos. Después conocí a Theresa. Fuimos amigos alrededor de un año y medio antes de que se encendieran las luces románticas, y lo lindo fue que las circunstancias me ayudaron a seguir la receta de Dios, aunque no me di cuenta de ello en ese momento. Sus dos hijitos y su situación en general condujeron fácilmente a la amistad. Me daba cuenta de que era hermosa, pero di por sentado que estaba "fuera de alcance" y que necesitaba un hermano en Cristo como amigo y apoyo con los niños.

Éramos parte de un círculo más grande de amigos cristianos. Yo no estaba tratando de quedar bien con ella y de presentar siempre la mejor cara. No estábamos jugando. Oramos juntos, compartimos, adoramos juntos y participamos juntos del ministerio. Aprendimos muchísimo el uno del otro sin recordar constantemente que ella era mujer y yo varón. Porque éramos parte de un grupo más grande, rara vez estábamos juntos a solas. Mirando hacia atrás, me doy cuenta que porque estábamos concentrados en Cristo y en ayudarnos mutuamente a crecer en él, no nos dimos cuenta de cuánto nos habíamos ido acercando paulatinamente.

Estaba en un viaje misionero en Venezuela cuando me enamoré de Theresa. Para entonces, la había conocido alrededor de un año y medio. Dios me hizo pensar en ella de una manera imprevista. Estaba orando por una esposa y fue como si Dios me hubiera susurrado: *¿Y Theresa?* Recuerdo claramente mi primera respuesta: *No quiero ser papá; sólo quiero una esposa.* Pero al poco tiempo tuve otra indicación sorprendente de Dios. Parecía estar diciendo: *Estuviste orando por ella. A lo mejor tú eres la respuesta.* Recientemente había estado orando que Theresa encontrara una pareja idónea, ya que me parecía que sus hijos realmente necesitaban un padre y que su vida como madre era increíblemente difícil. Una vez que la nueva posibilidad se introdujo en mi mente, sentí una liberación que permitió que la atracción que sentía por Theresa creciera en otras direcciones. Descubrí que casi todo lo que apreciaba profundamente de ella eran las cualidades que esperaba encontrar en la mujer con quien me casara. Pero nuestra sólida amistad nos permitió hablar francamente acerca de las complicaciones de pasar de soltero a padre de hijos mellizos en un abrir y cerrar de ojos.

La amistad ofrece un ámbito maravilloso para descubrir y desarrollar cualidades muy importantes en candidatos a cónyuges, sin la a veces inexorable presión de estar "en vidriera" o "bajo el microscopio" del juego de las salidas en pareja. La amistad no confiere exclusividad a la relación. La amistad brinda una muy buena relación sin tener que pasar al romance. El romance crea una relación que casi nunca se revierte a la amistad. Al trabajar con estudiantes universitarios durante más de 10 años, vi el hermoso fruto de lo que puede pasar cuando el pueblo de Dios está dispuesto a poner a la amistad como prioridad en lugar del romance. También vi los trágicos resultados de poner el romance en el centro.

De hecho, creo que debemos prestar mucha atención a la manera de pasar de la amistad al romance. **El cortejo es un mejor formato que las salidas en pareja en cuanto a poner el cimiento del matrimonio.** En su libro *Le dije adiós a las citas amorosas*, Joshua Harris enfatiza una y otra vez que la persona no tiene derecho a pedir el corazón y el afecto de otra a

menos que esté preparada para ofrecer un compromiso duradero[2]. Esta declaración expresa los principios subyacentes del
cortejo. ¿Existe un momento para salir? ¡Por supuesto! ¿Está
bien ponerse de a dos para discernir la voluntad de Dios en una
relación seria? Sí. Pero la investigación sobre cuándo salir en
pareja y lo que ocurre cuando el romance antecede la amistad
es inquietante y proporciona una advertencia importante.

Un estudio realizado por la Universidad de UTHA, en los
Estados Unidos de América, con 2.400 adolescentes reveló las
siguientes estadísticas:

- Si un joven comienza a salir en pareja a los 12 años, la
  probabilidad de que tenga relaciones sexuales antes de
  terminar la secundaria es del 91 por ciento.
- Si comienza a salir a los 13 años, la probabilidad de que
  tenga relaciones sexuales antes de terminar la secundaria
  es del 56 por ciento.
- Si comienza a salir a los 14 años, la probabilidad de que
  tenga relaciones sexuales antes de terminar la secundaria
  es del 53 por ciento.
- A los 15 años, la probabilidad es del 40 por ciento.
- Si comienza a salir a los 16 años, la probabilidad baja al
  20 por ciento[3].

Estas estadísticas son como un balde de agua helada. Quiero
decir a todos los padres que conozco que se pongan firmes.
Digan a su hijo de 14 años: *Nada de salidas en pareja. Lo sentimos, pero te amamos demasiado como para permitirlo.* Tendrán
que decirlo de varias maneras pero siempre deben incluir la negativa. Estén preparados para la respuesta típica: *¡Pero todos los
demás pueden hacerlo!* Cuando oigan ese argumento, recuér-
denle el caos y el daño causados por esas relaciones. Contesten

su frustración con una explicación calmada de la receta de Dios para el amor, las relaciones sexuales y las relaciones duraderas. Invítenlo a unirse a la segunda revolución sexual. Si todo lo demás falla, pueden usar el argumento que ya mencioné, el que mis hijos odiaban pero después llegaron a creer: *Supongo que el hecho de que te diga que no significa que te amo más de lo que los otros padres aman a sus hijos.*

> El cortejo es un mejor formato que las salidas en pareja en cuanto a poner el cimiento del matrimonio.

Alienten situaciones en las cuales sus hijos (o ustedes) puedan relacionarse con otros en grupos en lugar de parejas. La edad media para que se case un hombre en los Estados Unidos de América es de 27 años. Hace 10 años era 23 y 15 años antes de eso probablemente haya sido 19 ó 20. La edad media para que se case una mujer hoy en día, en los Estados Unidos de América, es 23 años. Hace 10 años era 21; hace 30 años era alrededor de 17 ó 18. ¿Qué crees que sucederá con las personas que ya están en relaciones que entrañan asuntos hormonales a los 13 años? Hemos permitido que se desarrolle un patrón que casi asegura que nuestros hijos sean arrastrados a la inmoralidad, sin importar sus intenciones. Cuanto más se demoren las salidas en pareja, tanto mayor la probabilidad de que piensen con la cabeza en lugar del corazón o las hormonas. Necesitarán tu ayuda para hacerlo a la manera de Dios.

2. Tratar a los demás como hermanos o hermanas en Cristo

Sé revolucionario tratando a las personas del sexo opuesto como familiares por los cuales sientes mucho respeto. Primera Timoteo 5:1, 2 registra el consejo que Pablo le da a Timoteo acerca de diversas relaciones: *No reprendas con dureza al anciano, sino exhórtale como a padre; a los más jóvenes, como a*

hermanos; a las ancianas, como a madres; y a las jóvenes, como a
hermanas, con toda pureza.

Nota cómo trata cada relación. Ésta es la manera de tratar
a los hombres mayores: no lo reprendas con dureza porque
debería recibir el tipo de honor y respeto que le das a tu padre.
Ésta es la manera de tratar a las mujeres mayores: como madres
en el Señor. En el versículo 2, básicamente le dice: *Trata a las*
mujeres jóvenes como hermanas, con toda pureza. **¿Qué pasaría**
si en cada relación con el sexo opuesto entre cristianos tratá-
ramos a las personas como hermanos y hermanas en Cristo?
¿No surgen casi automáticamente algunos límites si nos tratamos como hermanos? Piensa en la manera que tratas a tu hermana biológica. ¿La abrazas? Por supuesto. ¿La abrazas como
abrazas a otras personas? Claro que no. ¿Tocas a tus hermanos
de maneras que expresan afirmación, interés y relación genuina?
Sí. ¿Hay maneras de tocar que jamás pondrías en práctica con
tus hermanos? Indudablemente.

El hecho de reconocer y honrar los lazos familiares que
tenemos en Cristo puede eregir algunos muros protectores
importantes en las relaciones. El énfasis adicional en la amistad
y los lazos familiares en Cristo crearán el tipo de relación sana
en la que se puede poner en práctica la receta de Dios para el
amor, las relaciones sexuales y las relaciones duraderas.

---

3. Poner como prioridad el crecimiento espiritual y el bienestar de los demás

En la segunda revolución sexual, cada relación está guiada
por el hecho de que somos compañeros a la vez que seguidores
de Cristo. Como tales, anhelamos ver y ayudar en el crecimiento
espiritual del otro. Hebreos 10:24 dice: "Considerémonos los
unos a los otros para estimularnos al amor y a las buenas obras".

Ésta es la pregunta principal que puedes hacer acerca de cada relación: *En esta relación con mi hermano o hermana en Cristo, ¿le estoy ayudando a parecerse cada vez más a Cristo? Además, ¿de qué manera exactamente estoy tratando de llevarlo o desafiarlo a caminar más cerca del Señor?* Si no podemos contestar estas preguntas claramente, las relaciones que estamos formando no son sanas. Pero si nuestras relaciones son aventuras entusiastas cuya meta es ayudarnos a andar en la luz, aunque nuestras vidas vayan por senderos diferentes, podremos expresar una profunda gratitud por los beneficios compartidos. Podremos decir: *Gracias, hermano o hermana. He crecido en Cristo por mi amistad contigo y tenemos hermosos recuerdos de servir a Cristo juntos.*

Cuando se toma ese camino, Dios se encarga de que el amor romántico sano florezca en el momento apropiado y de la manera apropiada. El Espíritu de Dios te mostrará una posible pareja y podrán descubrir como amigos si deben avanzar hacia el matrimonio y cómo deben hacerlo. Siempre les digo a los jóvenes que hay toda una vida de lecciones asombrosas para aprender acerca de la amistad y de la vida como hermanos en el cuerpo de Cristo antes de tener que preocuparse por el amor romántico. El amor genuino, las relaciones sexuales satisfactorias y las relaciones duraderas, que dan vida, son una recompensa para los que eligen vivir con los demás de acuerdo con la receta de Dios. No puedo pensar en una mejor descripción de una ceremonia de casamiento que la celebración de otra victoria importante en la segunda revolución sexual.

¿Estás dispuesto a ponerle la firma?

¿Y tú? ¿Estás listo para la segunda revolución sexual? ¿Te unirás a mí y a decenas de miles de otros cristianos que optan por no limitarse a hablar de la fe sino a vivirla en una de las áreas más controvertidas de nuestra cultura: la sexualidad? ¿Se convertirá tu vida en otra luz radical en la oscuridad?

No es fácil unirse a la segunda revolución sexual. Tendrás que nadar en contra de la corriente, por un verdadero diluvio de basura y contaminación moral que parece venir de todos lados en nuestra cultura. ¿Estás listo para ir en contra de esa corriente, oponiéndote a la presión que ha de venir? ¿Estás preparado para cuestionar la manera en que se te ha programado para pensar sobre la sexualidad y para abandonar las actitudes disfuncionales que traen el caos a tus relaciones? ¿Estás dispuesto a rebelarte contra una manera de vivir insalubre?

¿Estás listo para que la Palabra de Dios te renueve y te reprograme la mente radicalmente para convencerte de lo siguiente?

- las relaciones sexuales son sagradas
- las relaciones sexuales son algo serio
- las relaciones sexuales son una tremenda responsabilidad

Imagina lo que podría pasar a medida que nuestra manera de pensar lleve a conductas que cambien la vida y que se conviertan en una luz brillante que penetre nuestra cultura. Imagina lo que podría pasar a medida que implementemos una manera radical de atraer al sexo opuesto y de desarrollar relaciones genuinas. Imagina lo que podría pasar si un número importante de matrimonios comenzaran sin la carga de la inmoralidad sino animados por la expectativa de abrir un hermoso regalo que ha sido guardado para una sola persona. Imagina un retorno sano al pudor fuera del matrimonio y a las relaciones sexuales exuberantes dentro de él. Imagina el *amor*, el *sexo* y las *relaciones duraderas* como Dios las diseñó, ¡y tendrás una mentalidad revolucionaria!

Evaluación personal

1. ¿Cómo le explicarías a otra persona la verdad de que las relaciones sexuales son algo serio para Dios?

2. ¿De qué maneras específicas te das cuenta que tendrá que cambiar tu manera de pensar acerca de la sexualidad para poder participar en la segunda revolución sexual?

3. ¿Por qué crees que la piedad genuina es un rasgo tan atractivo en otra persona?

4. ¿Cuánto ha significado en tu propia vida la presencia o la falta de amigos piadosos?

5. ¿Qué decisión has tomado en lo profundo de tu ser acerca de tu participación en la segunda revolución sexual?

Bienvenido a la revolución

Al principio de este peregrinaje hice algunas preguntas acerca de la lamentable condición de las relaciones en nuestra cultura:

- ¿Estamos todos destinados a estar frustrados y a convertirnos en los productos, y en autores de relaciones disfuncionales?
- ¿Hay una manera mejor? ¿Hay un secreto, un plan o un paradigma distinto para encontrar el amor genuino, las relaciones sexuales satisfactorias y una relación duradera?

También prometí describir esa receta y ese plan. No es mía y no la inventé. Viene de la Palabra de Dios. La he compartido, no porque sea muy inteligente ni porque tenga una visión privilegiada del *amor*, el *sexo* y las *relaciones duraderas*, sino porque estoy convencido de que aquel que te creó para ser amado y que creó las relaciones sexuales para que disfrutes de ellas, tiene un plan comprensible para que las relaciones funcionen. Repito la promesa de que si confías en esta manera de pensar acerca de las relaciones y la implementas, tus relaciones podrán ser profundamente satisfactorias y duraderas. Como dije en la introducción, estos principios funcionan porque vienen de aquel que te diseñó. El *amor*, el *sexo* y las *relaciones duraderas* son ideas de Dios. Nos creó para las relaciones y creó nuestro anhelo de conectarnos con otros. Porque eres objeto de su amor y afecto, él desea cumplir estos anhelos de maneras que superen todo lo que puedas imaginar.

> Repito la promesa de que si confías en esta manera de pensar acerca de las relaciones y la implementas, tus relaciones podrán ser profundamente satisfactorias y duraderas.

Hay dos maneras de llevar a cabo las relaciones: a la manera de Hollywood y a la manera de Dios. Podemos seguir la fórmula del mundo y obtener los resultados del mundo, o podemos aceptar la receta de Dios y experimentar su bendición en nuestra vida. A lo mejor no sea una decisión fácil, pero es muy clara. Esa decisión está siempre ante nosotros, seamos jóvenes o viejos, solteros o casados por muchos años. **Podemos cambiar una manera de realizar las relaciones por otra en cualquier momento, pero los resultados siempre estarán ligados a las decisiones que tomemos.**

Un relato final

Quiero terminar con una historia real. La experiencia de esta persona nos recuerda que no importa quiénes seamos o dónde hayamos estado, Dios desea perdonar, restaurar y reconstruir nuestro mundo de relaciones. También nos recuerda que la decisión que tomemos tendrá efectos duraderos. Lee atentamente el siguiente relato y escucha tanto la advertencia como la esperanza que está disponible para ti.

A lo largo de los años he recibido cientos de confirmaciones dolorosas que las personas tienen hambre de este mensaje acerca de la necesidad de una segunda revolución sexual. Las conversaciones con las personas que deben manejar los efectos penosos de la fórmula de Hollywood son aún más perturbadoras. Espero que un relato más que viene del otro lado de la experiencia te ayude a responder al llamado de Dios a una segunda revolución sexual en tu vida. Al leer esta confesión que recibí por correo electrónico, pregúntate: *¿Qué implica para mí como padre, cónyuge, persona divorciada o soltera? ¿Qué implica para mi estilo de vida? ¿Qué implica para la manera en que voy a relacionarme y a pensar del sexo opuesto?* Permite que el siguiente relato de las decisiones relacionales de un hombre te ayude a analizar tu vida una vez más:

> Acepté al Señor en la secundaria y estuve apasionado por él durante mi carrera universitaria y unos años más, pero después me alejé mucho de Dios. Me metí en tres relaciones consecutivas con mujeres en el trabajo. En cada una de esas relaciones, la mujer quedó embarazada y tuvo un aborto. Tres niños que ayudé a concebir jamás tuvieron la oportunidad de respirar. ¿Qué le parece? Las tres relaciones se disolvieron poco después de los abortos. Ahora me asombra que no podía ver el patrón que estaba creando.
>
> Ahora, unos cuantos años más tarde, tengo la gran bendición de estar casado con una mujer centrada en Cristo, y no hemos podido tener hijos propios. Ha sido devasta-

252

dor para mí a la luz de haber pagado con mi propio
dinero para matar a tres de mis propios hijos. ¿Fue divertido tener relaciones sexuales? Sin duda. ¿Valió el placer el
precio que pagué? No puedo gritar que "NO", con la fuerza
suficiente que debiera.

Como dijo usted, el deseo más profundo de mi corazón era tener una relación comprometida y duradera.
Pero no llegué ni cerca con los amoríos que tuve. A pesar
de lo malo de la situación, no aprendí mi lección. El próximo paso en mi alejamiento de Dios lo tomé con una mujer
con la cual conviví. Ya tenía dos hijos. La relación que
desarrollamos fue verdaderamente vil. Ella no quería saber
nada de los asuntos espirituales. Yo sacrifiqué toda la integridad que me pudo haber quedado, y no me comporté
con la verdad en mi vida diaria con ella. Era una relación
degradante e insuficiente. Créame, esto le hizo un verdadero daño a la mente de esos niños. ¿Qué clase de ejemplo
estaba dando yo?

Estoy agradecido por la intercesión del Espíritu Santo.
Reaccioné y me di cuenta de que tenía que tomar una
decisión. Estaba ante una bifurcación en el camino. Pude
descubrir la receta de Dios para el *amor*, el *sexo* y las
relaciones duraderas. Rechacé la fórmula de Hollywood
que había guiado mi vida caótica. Dios obró un milagro
de sanidad y conducción en mi vida. Tengo de qué arrepen-
tirme, pero también tengo la gracia de Dios. Ahora la
única razón para mencionar mis errores pasados es para
alentar a los demás e invitarlos a dejar la vida que están
llevando, apartados de Dios. Gracias a Dios, fui un hijo
pródigo del siglo XX que fue corriendo a Dios sin mirar
atrás; y he estado en comunión con el Señor, y con otros
creyentes desde ese momento. Por la gracia de Dios, mi

esposa y yo hemos tenido la bendición de adoptar un bebé, aunque todavía me duele pensar en los errores que cometí en esas relaciones del pasado. Por favor, siga compartiendo las buenas nuevas de que Dios tiene una manera mucho mejor de vivir el *amor*, el *sexo* y las *relaciones duraderas*.

El hombre que escribió ese mensaje tomó una decisión sabia y dolorosa. Tú tienes la misma opción hoy. Puedes seguir en la senda de la destrucción o puedes hacer un giro radical y regresar a Dios: es tu decisión. A lo mejor se te haya formado una imagen mental de una bifurcación en el camino al leer este libro. ¿Qué sendero elegirás? ¿En qué dirección irá tu familia? Si deseas amor genuino, relaciones sexuales maravillosas y relaciones duraderas, optarás por seguir la receta de Dios. ¡Jamás te arrepentirás!

Mi oración para ti

Padre, gracias por amarnos. Gracias porque tu Palabra en la Epístola a los Efesios fue escrita a un grupo de personas cuyas costumbres y caos sexuales eran todavía mucho peores que los nuestros. Gracias por mostrarnos a través de su ejemplo que, aunque suene imposible a nuestros oídos del siglo XXI, nosotros también podemos participar de esta vida radical que transformó el mundo. Gracias porque el mismo poder que resucitó a Cristo de los muertos vive en nosotros y nos permite ser puros. Reconocemos con gratitud que la vida cristiana no se trata de esforzarnos sino del hecho de que nos has dado la gracia y el poder en Cristo para seguirte de todo corazón.

Ayúdanos a pensar de una manera diferente acerca de nuestra sexualidad; ayúdanos a atraer a los demás con integridad y honestidad; y ayúdanos a poder relacionarnos de maneras genuinas y útiles. Danos tu poder para convertirnos en las personas correctas, para crecer y andar en amor, para fijar nuestra esperanza en ti y andar en tu luz. Danos el valor necesario para participar en la segunda revolución sexual en nuestra cultura. En el nombre de Cristo. Amén.

Notas

Capítulo 1

1. *New York Times Almanac:* 1999, ed. John W. Wright (New York: Penguin, 1998), p. 351.

2. Judith Wollerstein, "Children of Divorce, Twenty Five Years Later", *USA Weekend*, septiembre 2000, pp. 15-17.

Capítulo 3

1. Les y Leslie Parrott, *Relationships* (Grand Rapids: Zondervan, 1998), p. 134.

Capítulo 6

1. Parrott, *Relationships*, p. 131.

2. Ibíd., p. 132.

3. Ibíd., pp. 132, 133.

4. Paula Rinehart, *"Losing Our Promiscuity"*, *Christianity Today*, 10 de julio del 2000, pp. 32, 33.

5. Ibíd.

Capítulo 8

1. Bethesda Research Group, en William R. Mattox Jr., "The Hottest Valentine", *Washington Post*, 1994.

2. M. D. Newcomb y P. M. Bentler, "Assessment of Personality and Demographic Aspects of Cohabitation and Marital Success", *Journal of Personality Assessment* 44 (1980): 21.

3. L. H. Bukstel, G. D. Roeder, P. R. Kilmann, J. Laughlin, y W. Sotile, "Projected Extramarital Sexual Involvement in Unmarried College Students", *Journal of Marriage and the Family* 40 (1978): pp.337—340.

4. Parrott, *Relationships*, p. 138.

5. Ibíd., p. 139.

Capítulo 10

1. Wendy Shalit, *A Return to Modesty* (New York: The Free Press, 1999), p. 209. Ver también Rinehart, *Losing Our Promiscuity*, para algunas notas importantes de Wendy.

2. Joshua Harris, *Le dije adiós a las citas amorosas* (Unilit, 1997).

3. Universidad de Utah, estudio sobre la edad en que los adolescentes inician su vida sexual activa.